José María Lorca

(Seleção e adaptação)

Agradar a Deus

Os melhores textos espirituais de Santo Afonso

EDITORA
SANTUÁRIO

Dados Internacionais de Catalogação na Publicação (CIP)
(Câmara Brasileira do Livro, SP, Brasil)

Agradar a Deus: os melhores textos espirituais de Santo Afonso. | seleção e adaptação José María Lorca; tradução Elizabeth dos Santos Reis |. — Aparecida, SP: Editora Santuário, 1997.

Título original: Agradar a Dios.
ISBN 85-7200-474-2

1. Afonso Maria de Ligório, Santo, 1696-1787 2. Afonso Maria de Ligório, Santo, 1696-1787 — Comentários I. Lorca, José María.

97-2254   CDD-235.2

Índices para catálogo sistemático:

1. Santos: Textos espirituais: Comentários 235.2

Título original: *Agradar a Dios*
— Los mejores textos espirituales de San Alfonso

© Editorial Perpétuo Socorro, Madri, 1987

ISBN 84-284-0399-6

Tradução: Elizabeth dos Santos Reis

7ª impressão

Todos os direitos em língua portuguesa
reservados à **EDITORA SANTUÁRIO** – 2018

Rua Pe. Claro Monteiro, 342 – 12570-000 – Aparecida-SP
Tel.: 12 3104-2000 – Televendas: 0800 - 16 00 04
www.editorasantuario.com.br
vendas@editorasantuario.com.br

Prólogo

Este livro é uma modesta tentativa de atualização formal de um clássico.

Afonso de Ligório, Doutor da Igreja e Patrono dos Confessores e Moralistas, é um dos autores espirituais mais fecundos. Como amostra, aí estão suas "Visitas ao Santíssimo" com 2.100 edições em cinquenta idiomas. Ou a "A prática do amor a Jesus Cristo" que alcança as 535. Ou "Glórias de Maria", mais de 1.000 vezes editado.

Em sua extensa produção contabilizam-se 111 títulos.

Santo Afonso é reconhecido como mestre, sobretudo por sua Teologia Moral. Mas foi nos textos dirigidos ao povo de Deus e seus pastores que exerceu uma influência incomensurável.

Uma seleção antológica de textos justifica-se por si mesma quando se trata de autor tão significativo e abundante. Mais ainda, como é intenção deste livro, se apresentam alguns elementos de espiritualidade que são ao mesmo tempo fundamentais para a obra do autor e proveitosos para quem hoje recorra a eles.

Aqui se reúnem, pois, intencionalmente resumidos e depurados, os grandes assuntos da reflexão espiritual de um santo mestre:

1 — Uma visão de Deus como ternura, como amor imaginativo e criador, cujo rosto materno se reflete em Maria.

2 — Sua iniciativa de oferecer aos homens a graça da Redenção, através de um Cristo próximo e humaníssimo, nos mistérios da Encarnação, Paixão e Eucaristia. Ênfase singular na entrega do Crucificado.

3 — Uma correspondência humana livre, que o amor de reconhecimento torna obrigatória, mediante o distanciamento do que é relativo para melhor seguir a Jesus Cristo.

4 — Uma realização prática do seguimento pelo uso dos meios que a tradição espiritual cristã verificou como os adequados: Oração, confiança na Providência, prática da caridade em suas diversas formas, devoções específicas etc.

Se tivesse de detectar uma chave no universo espiritual alfonsiano, esta seria a do Amor. Ele não a estabelece como pressuposto, já que não é iniciador nem teórico de uma espiritualidade própria. Afonso vive o amor de Deus como certeza transbordante, como experiência de um absoluto assombro, o que o leva a escrever de maneira apaixonada e exclamativa, com espontaneidade e sem preocupação de estilo.

A natural resposta para essa chuva de graça, que para Afonso supõe em seu conjunto *a copiosa redenção*, é um comportamento que se orienta para agradar "Aquele que nos amou primeiro". Desta maneira:

> *Agradar a Deus* é a postura de reverência que o pobre adota ao sentir-se até desconcertado com tantos favores.
> *Agradar a Deus* "consiste em pedir-lhe conhecimento de sua vontade para depois cumpri-la". É a formulação que melhor resume para Afonso a atitude fundamentalmente cristã da fé.

Quanto ao subtítulo deste livro: "Os melhores textos", seja considerado com as reservas necessárias: Além do elemento de subjetividade que toda seleção comporta, é difícil achar em Santo Afonso trechos literários que se sobressaiam demais.

Sua teologia não é uma novidade mostrada de maneira sedutora. Apresenta-se mais convencional, reiterativa e acessível a todos. Seu discurso, longe de causar impacto com doutrinas arcanas ou alardes estilistas, só pretende servir com a máxima simplicidade a alma popular.

A tradução que faço é tão livre que até se pode falar de um tratamento recriador do texto original. Agi sem escrúpulos, convencido de que ser fiel aos santos consiste principalmente em propor sua mensagem essencial sob as adaptações oportunas.

Espero que Afonso, que também foi um divulgador obcecado por revitalizar a melhor tradição para as pessoas de seu meio, estará de acordo.

Além dos textos doutrinais e dessas orações que Santo Afonso compôs com tanta unção e também com tanta simplicidade, este livro contém alguns quadros com notas bibliográficas e reflexões de especialistas. Isso ajudará a compreender melhor este santo napolitano cheio de devoção e afeto a quem, quase instintivamente, "o povo converteu em seu grande diretor espiritual".

José María Lorca

COPIOSA REDENÇÃO

A Jesus Cristo:

Verbo encarnado,
Amado do eterno Pai,
Bendito do Senhor,

> *Autor da vida,*
> *Rei da glória,*
> *Salvador do mundo,*
> *Esperança das nações,*

Desejo dos abismos eternos,
Pão celestial,
Juiz do universo,
Mediador entre Deus e os homens,

> *Mestre de virtudes,*
> *Cordeiro sem mancha,*
> *Sacerdote eterno,*
> *Vítima de amor,*

Esperança dos pecadores,
Fonte de graças,
Bom Pastor,
Enamorado das almas,

> *Consagra-lhe esta obra:*

Alfonso de Liguori

Dedicatória em "A oração — O grande meio..."

1. O dom de Deus é Jesus Cristo

A essência da santidade consiste em amar a Jesus Cristo. Há aqueles que medem a santidade pela forma de vida austera ou dedicada à oração. Outros pela frequência aos sacramentos ou pela partilha de esmolas. Mas todos se enganam, pois o grau maior do seguimento de Cristo consiste nesse amor que, segundo São Paulo, "é vínculo da perfeição" (Cl 3,14).

O amor une e dá consistência a todas as virtudes, por isso dizia Santo Agostinho: "Ama e faze o que quiseres". Porque quando alguém está enamorado esforça-se por evitar o que não agrada o outro.

Deus não merece que lhe entregues toda tua capacidade de amar, sendo que dele partiu a iniciativa de te amar primeiro?

Criou-te a sua imagem e semelhança; deu-te um corpo dotado de sentidos, e encheu o mundo de maravilhas e de seres vivos que te despertaram gratidão a tantos benefícios.

Conta-se de um homem de Deus que, passeando sozinho pelo campo, tinha a impressão de que as plantas e as flores, que em seu caminho encontrava, reprovavam-lhe a ingratidão para com Deus; então, acariciando-as com o seu bastão, respondia-lhes: "Calai, que já vos entendo; estais dizendo-me que sois para mim um dom de Deus ao qual não correspondo".

Todavia, não se contentou o Senhor em presentear-nos com a vida e o serviço das criaturas, mas ele mesmo deu-se a nós por inteiro: "Deus amou tanto o mundo que entregou seu Filho Unigênito" (Jo 3,16).

Assim o fez para devolver-nos a graça da vida que havíamos perdido:

"Deus, porém, rico em misericórdia, pelo grande amor com que nos amou,... deu-nos vida por Cristo" (Ef 2,4-5).

Também tinha razão São Paulo ao exclamar: "Urge para nós a caridade de Cristo", pois saber que Jesus nos amou até a morte supõe que nos sintamos quase obrigados a querê-lo, abraçados para sempre a sua cruz.

O Redentor chamou "sua hora" ao momento de sua imolação, como se estivesse sempre desejando oferecer o testemunho da suprema generosidade.

Enamorados de Jesus, alguns santos lhe diziam que ele havia enlouquecido, mas outros entendiam que não era loucura, mas o efeito natural que faz o amante sair de si para dar-se totalmente ao amado.

Ou melhor, a fonte do amor de Cristo para contigo é sua inefável caridade para com Deus: "Para que saiba o mundo quanto amo o Pai, levantai-vos e vamo-nos daqui..."

Para onde? Para ser na cruz o dom que Deus te faz.

AMOR sem medida,
te abraçarei e jamais me soltarei.
Viverei e morrerei fundido a ti,
e nem a vida nem a morte
me arrancarão de ti.

A força de tua cruz
quebranta minha dureza,
pois para mim também fizeste
o que fizeste
pela saúde de todos.

Pergunto-me
quem foi tão poderoso
que te levou a morrer
injustiçado,
e não encontro motivo maior
que o amor.
Por isso te elejo
meu único dono.

A prática do amor a Jesus Cristo
Capítulo 1

"A prática do amor a Jesus Cristo"

"A prática do amor a Jesus Cristo" é a obra espiritual mais significativa de Santo Afonso. Tem como base o texto bíblico de 1Cor 13, a partir do qual Afonso oferece-nos o melhor que ele mesmo traz de Deus.

Em toda a reflexão, manifesta-se a proximidade de Jesus Cristo, considera-se o amor como centro de tudo e a importância da práxis. Tudo isso sustentado pela maior das certezas: Que Deus é amor e como tal se manifesta no dom do Redentor.

Sua espiritualidade é um diálogo sem presunção, uma vivência da gratidão, uma atitude de amor que se traduz na resposta humana de agradar a Deus, como modo concreto de situar-se diante da Copiosa Redenção.

José Miguel de Haro

2. Encarnação, obra de amor

"Por nós e por nossa salvação desceu do céu... e se fez homem", dizemos no Credo, significando o que o próprio Deus foi capaz de fazer para chamar-nos ao amor.

Alexandre Magno, depois de invadir a Pérsia, vestiu-se segundo o costume do país para ganhar a adesão de sua gente. Dir-se-ia que nosso Redentor fez o mesmo, vestir-se e presentear-se como homem, não com a intenção política de exaltar-se a si mesmo, mas com a finalidade exclusiva de elevar-nos, ainda que à custa de sua humilhação.

O homem não me ama porque não me pode ver — parece que pensou o Senhor. Para conquistar seu amor eu me mostrarei visivelmente, conversarei com ele. Pois embora o amor de Deus fosse de sobra desde a eternidade, não se havia evidenciado ainda em toda a sua grandeza incompreensível, o que aconteceu sim quando Jesus se fez ver como menino: "Quando se manifestou a bondade de nosso Salvador" (cf. Tt 3,4).

Diz São Bernardo que Deus manifestou o poder criando o mundo, e a sabedoria em seu governo; mas que só na encarnação do Verbo deixou ver a ternura e a misericórdia plenamente. Nela demonstrou-nos a grandeza de sua benignidade.

Nas pessoas cativam-nos mais as manifestações de afeto que nos fazem, que suas demonstrações de poder ou de conhecimentos. Os gestos de bondade e carinho são como as cadeias que nos prendem àqueles que nos estimam.

E isso foi o que fez Jesus quando tomou nossa natureza, pois com tal milagre do amor quis prender os homens, conforme predisse o profeta Oséias: "Com cordas humanas, com laços de amor os atraía".

Por que se chama no Credo à encarnação de Jesus de "obra do Espírito Santo", senão porque todas as obras do Amor são atribuídas ao Espírito?

Pois não bastou a Deus haver-nos feito no momento da criação segundo sua própria imagem, mas quis fazer-se ele segundo a nossa imagem no momento em que começou a redimir-nos.

Sabe, pois, que Deus se fez teu irmão, filho de Adão igual a ti, revestido de tua própria carne, submetido a tuas alegrias e a teus sofrimentos. E disso se gloriava chamando-se com frequência filho do homem, como se em parecer-se contigo estivesse sua maior honra.

A Igreja declara-se assustada considerando no ofício divino a obra da redenção que esse mistério da encarnação inicia. Milagre dos milagres a chamava Santo Tomás. Prodígio incompreensível que a muitos santos extasiava. O Criador feito criatura!

E tu vais permanecer indiferente?

Desceu do céu
para ser nosso amigo
e companheiro,
mas quem te acompanha?
Quem te acolhe em Belém?
Só José e Maria.
Manifesta-se
tua graça salvadora,
e muito poucos querem acolhê-la.
És para nós um irmão,
e te consideramos estrangeiro.

Ó Palavra de Deus
feita carne por mim!
Embora te veja pobre
e desvalido,
hoje te confesso meu Senhor.
Aqui tens minha alma;
toma-a por presépio e trono.
Ó rei da humildade!
Toma o comando
de meu coração
e não deixes que outro me domine.

Segunda novena do Advento
Discurso primeiro

O Deus dos contrastes

As duas séries de "Meditações para o Advento", junto com as duas "Novenas de Natal", foram escritas em plena maturidade literária do santo.

O Deus de Santo Afonso aparece aqui como o Deus dos contrastes que vem cativar irresistível e livremente as almas: O Verbo feito carne, o grande feito pequeno, o Senhor convertido em escravo, o forte feito frágil, o rico feito pobre, o excelso humilhado.

Ajoelhado diante da gruta de Belém, vê-se o apaixonado Afonso cantando com os anjos, oferecendo-se com os pastores e adorando com os Magos o Recém-nascido. São páginas que convidam a humanidade a corresponder com entrega e confiança à prova de amor do Deus que se faz menino.

Andrés Goy

3. Veio para servir-nos e curar-nos

Deus surpreendeu a terra com uma novidade, diz o Profeta (Jr 31,22). A Encarnação do Verbo foi essa saudável surpresa que a todos nos fez renascer nesse afortunado instante que se chamou plenitude dos tempos: "Quando chegou a plenitude dos tempos, Deus enviou seu Filho... para resgatar os que estavam sob a Lei" (Gl 4,4-5).

A plenitude de graça veio com a plenitude do tempo para reparar a ruína que ocasionou o pecado. Maria aceitou ser a mãe do Filho de Deus, e o Verbo eterno tomou a condição humana, começando a redimir o mundo.

"Não desdenhou Jesus — como canta a Igreja — o seio da Virgem" (Hino Ambrosiano). Quem era no seio do Pai imenso e onipotente Deus se faz no seio de Maria criatura pequeníssima e frágil. Toma forma de escravo (Fl 2,7) quem é Senhor de tudo o que foi criado. A quem pode ocorrer um gesto humano de maior amor e aproximação?

Conta-se de Santo Aleixo que, sendo filho de um nobre, renunciou a seus privilégios e pôs-se a trabalhar entre os criados de sua casa, pedindo para ser tratado como um deles... Pois infinitamente mais admirável é a condescendência de Jesus ao pôr-se a serviço, não só da vontade do Pai, como Redentor, mas também sob a obediência de suas criaturas, isto é, de José e de Maria.

Portanto, estando mortos para a vida divina e abandonados à desesperança, enviou Deus seu Filho Unigênito, o qual, movido pelas entranhas de sua misericórdia, com gosto desceu do céu.

Eis nosso Redentor, já vestido de carne e feito homem, que nos diz: "Eu vim para que tenham a vida" (Jo 10,10) e tomando sobre si a morte.

Veio, pois, nosso médico, para curar o enfermo. Misturou-se entre nós até assumir nossa enfermidade, já que os corpos são o leito das almas enfermas. Porque se os outros médicos se esforçam o quanto podem para curar o paciente, só Jesus Cristo tomou para si a doença para melhor curar-nos.

Veio para desempenhar esse piedoso ofício, para conquistar tua confiança. Levou teus sofrimentos e carregou tuas dores, como disse o Apóstolo, para que suas feridas te curassem.

Tomou como remédio um humilhante nascimento, para que vencesses o impulso da soberba.

Abraçou a pobreza material, para que não te contamine a cobiça.

Abraçou o sofrimento, para que as dificuldades não te destruam.

E tu, preferirás atar-te a escravidões que te fazem desgraçado, a seguir livre e alegremente para Jesus Cristo?

Amado Redentor,
se me tivesses permitido pedir-te
a maior prova de amor,
jamais teria ocorrido a mim
pedir-te que nascesses menino.
Mas tu fizeste o que nunca
teria me atrevido
nem a pensar.

Vieste para chamar o pecador,
e eu não sou precisamente um justo;
para curar o enfermo,
e eu tenho necessidade de médico;
para buscar o que estava perdido,
e eu caminho errante.
Ó Senhor, refúgio dos pobres,
como vou temer-te?
Só temo minha debilidade,
mas essa minha pobreza
me aproxima de ti
que te fizeste próximo
como um menino.

Meditações para o Advento
Fragmentos

Descrevendo-nos o verdadeiro amor, os mestres do espírito dizem que ele é:

Temeroso: *porque teme unicamente desagradar a Deus.*

Generoso: *porque lhe entrega toda a confiança e se arrisca sem medida.*

Forte: *pois vence os impulsos desordenados e os medos.*

Obediente: *porque sempre se inclina a cumprir a vontade divina.*

Puro: *porque, sendo alheio a interesses, ama sem esperar o prêmio.*

Embriagador: *porque faz caminhar como se não se vissem nem sentissem as coisas da terra.*

E esperançoso: *porque infunde desejos repousantes de abraçar-se com Deus definitivamente.*

A prática do amor a Jesus Cristo

4. O nascimento de um Deus ternura

Depois de muitos séculos de desejos e súplicas, nasceu nosso Redentor, o suspirado pelos povos e desejado pelas colinas eternas. "Nasceu para nós um menino, um filho nos foi dado" (Is 9,5).

O Filho de Deus se fez pequeno para fazer-nos crescer, e se entregou a nós para estimular-nos no dom de nós mesmos.

Jesus veio como um menino qualquer para que assim o acolhêssemos melhor, e para revelar-nos depois sua riqueza secreta.

E assim,

Se queremos luz, ele veio para iluminar-nos.

Se necessitamos força, ele veio para fortalecer-nos.

Se buscamos perdão, ele veio precisamente para reconciliar-nos.

Se queremos amor, ele veio para inflamar-nos.

E para presentear-nos esses dons, apresentou-se a nós como humildade e como ternura, para mostrar-se mais amável, afastar todo temor, e conquistar para si nosso amor.

Jesus quis nascer pequenino não só para ganhar de nós essa forma de amizade a que chamamos estima, mas também um amor de ternura. Pois se todos os meninos sabem granjear o carinhoso afeto daqueles que cuidam deles, quem não se comoverá de amor vendo um Deus indefeso, tiritando de frio e carente?

Pois bem, para contemplar o Recém-nascido com santa ternura, terás de fazê-lo com uma fé vivíssima. Do contrário não experimentarás senão mera compaixão sentimental, ao ver um pobre menino reduzido à indigência numa gruta inóspita.

Mas se entras na gruta com sentimentos de adoração e fé, e meditas no excesso de bondade que Deus esbanjou no mistério de seu nascimento, como será possível não se sentir atraído e como que suavemente obrigado a um compromisso?

Diz São Lucas que os pastores, depois de visitar Jesus no estábulo, "voltaram glorificando e louvando a Deus por tudo que tinham visto e ouvido" (Lc 2,20). E contudo, o que viram senão um simples bebê tiritando de frio? No entanto, sua fé os fez reconhecer naquele menino o excesso de amor que os levou a testemunhar publicamente o Mistério.

Nos dias que precedem o Natal, muitos cristãos costumam preparar em suas casas uma representação do nascimento de Jesus. Mas poucos são os que pensam em preparar o coração para que ele ali possa nascer e descansar.

Recebe-o tu com essa ternura eficaz que te leva a demonstrar-lhe amor, numa correspondência lógica ao amor de Jesus, e oferece-lhe os dons que possuis, ainda que só possas apresentar-lhe o dom de tua pobreza.

*Amável Jesus Menino,
a gente é tão atenciosa
socialmente, que se alguém recebe
uma visita, um presente
ou outra prova de afeto,
sente-se como que forçado
a corresponder.
Mas somos tão ingratos contigo,
que te dás a nós,
e só respondemos
com esquecimento e com ofensas.*

*Graças, Senhor,
por haver descido do seio do Pai.
Contemplo-te humilhado,
feito menino, e me aborrece o desprezo
com que te acolhemos.
Ofereço-te meu pobre coração,
como morada.
Entra nele e fica para sempre.*

Novena de Natal
e meditação de Advento

Jesus Cristo como centro

Sua experiência pessoal e as constantes leituras abrem para Afonso o caminho para uma concentração teológica em Jesus Cristo. Desde 1750 escreve sistematicamente sobre a Paixão, a Encarnação e a Eucaristia.

Por todos os meios, Afonso quer dar uma base sólida em Cristo ao devocionismo em que então se vivia.

Afonso fala abertamente de seguir Jesus Cristo, de pregar ao estilo dos apóstolos para não o trair, e de confessar com a benignidade própria do espírito de Jesus Cristo.

Noel Londoño

5. O nome do Salvador

Jesus foi um nome novo que saiu, como diz Isaías, da boca de Deus (62,2). Nome novo que significa Salvador, e contudo eterno, pois desde a eternidade esteve prevista nossa Redenção. Desde sempre o nome pertencia ao Filho, ainda que lhe fora imposto na circuncisão. Justamente quando se submete à marca dos pecadores, o Pai o levanta "e dá-lhe o nome que está sobre todo nome" (Fl 2,9).

"Azeite derramado" é o nome dado ao Esposo no Cântico dos Cânticos (1,2) porque, assim como o azeite, ele serve para ser luz e remédio.

Felizes de nós que em nome de Jesus nascemos à luz da fé, uma fé que nele se foi robustecendo. Se agora o invocas quando estás inquieto ou te sentes confuso, em seguida encontrarás descanso e luz.

O nome de Jesus te defende e salva do perigo. Por isso se lhe chama o Messias Deus Forte (Is 9,6) e os Provérbios dizem que o nome do Senhor é torre inexpugnável (18,10).

Afirma São Pedro que "nenhum outro nome foi dado sob o céu aos homens por quem possamos ser salvos" (At 4,12). E São Paulo supõe que não nos salvou só uma vez, mas sempre que o invocamos confiantemente: "Todo aquele que invocar o nome do Senhor será salvo" (Rm 10,13).

Quando alguém pronuncia com unção o nome

de Jesus, inevitavelmente se assemelha ao Redentor pleno de mansidão e espírito de Deus, e então Jesus Cristo entra em seu coração, alimenta-o de bons sentimentos e cumula-o de doçura. A fé se faz experiência de misericórdia só em repetir o nome de Jesus.

Diz São Paulo que o nome de Jesus não se pode pronunciar eficaz e fervorosamente, senão mediante a graça do Espírito (1Cor 12,13). Por isso, fazer oração em nome de Jesus supõe receber o Espírito Santo, e consequentemente crescer no amor.

Não pretende Jesus que graves em teu peito seu nome com um ferro quente, como chegaram a fazer alguns apaixonados por ele. Mas sim deseja que abrigues com ele teu coração, mediante a frequente e fervorosa invocação.

Quando te sentires triste, invoca Jesus, e ele te confortará.

Se a maldade te arrasta, chama-o e ele virá em tua ajuda.

Se te encontras apático na fé, conta-lhe e ele te devolverá o fervor.

Se te ataca a desconfiança, seu nome te dará esperança.

E se desejas terminar a vida com a graça de seu nome nos lábios, acostuma-te a pronunciá-lo desde agora.

Porém não só a pronunciá-lo, mas a pô-lo como motivo e razão de toda a existência: "E tudo quanto fizerdes por palavras ou obras, fazei em nome do Senhor Jesus" (Cl 3,17).

*Jesus, meu Salvador,
já que deste a vida
para salvar-me, grava teu doce nome
em minha memória,
imprime-o em meu coração,
e que não me caia
nunca da boca.*

*Se arrefeço em teu amor,
que teu nome me anime.
Que me mantenha firme
quando a tentação me assaltar.
Que quando estiver aflito
teu nome me conforte.
Que ele seja meu refúgio, meu escudo,
minha esperança e consolo.
E que acabe meus dias
invocando teu nome.*

Discurso de Natal

As canções espirituais

Afonso cultivou a composição e interpretação musical, descobrindo na música possibilidades pastorais de primeira ordem.

Suas letras revelam um hábil versificador, dotando o canto popular de toda a sua perfeição doutrinal e estética. Mas, além disso, constituem uma expressão mística de excelência inigualável.

Seus hinos ressoam ainda hoje nos vales napolitanos, com o frescor dos primeiros dias.

Justo Pérez de Urbel

6. O Calvário, monte dos amantes

Quis o Senhor colocar-nos na obrigação de amá-lo, mas não como mandato, e sim por gratidão natural ao que fez em nosso favor.

Aquele que ama já cumpriu a lei, diz São Paulo. E bastante fácil se torna, pois quem olhando para o Crucificado poderá resistir a pagar amor com amor? Para quem deu a vida, pouca recompensa seria um coração, ainda que dedicado unicamente a amá-lo.

Se alguém tivesse sofrido perseguição e cárcere em lugar de seu amigo, que tristeza lhe causaria saber que este já nem se lembra dele. E, ao contrário, grande consolo seria saber que seu amigo sempre fala dele com ternura e agradecimento.

Pois do mesmo modo agrada a Jesus Cristo que com frequência recordemos sua paixão.

Com essa intenção deixou-nos o sacramento da Eucaristia, memorial de sua morte, para que continuamente recordemos a Redenção com alegria.

São Francisco de Sales chamava o Calvário de "monte dos amantes" porque não é possível trazê-lo à memória sem renovar-se no amor.

Ao recordar o mistério da Redenção temos de observar, sobretudo, a imaginação de Cristo para afeiçoar-nos a ele. Quis nascer como um menino pobre, manifestar-se como um jovem trabalhador, e finalmente aparecer como um réu injustiçado...

Assim, quis levar uma vida esforçada como a nossa. Não merecerá a mais intensa e afetuosa recordação alguém que, para conquistar-nos, assumiu a tal extremo nossa humanidade?

Função própria e admirável da caridade é unir a alma a Jesus Cristo. É, além disso, virtude que comunica fortaleza já que, como diz o Cântico dos Cânticos "forte é o amor como a morte", palavras que Santo Agostinho comenta dizendo que "nada há tão duro que o fogo do amor não abrande".

Tu te atreverás a permanecer insensível ante a lembrança da Paixão de Cristo? Por que não colocá-la como selo indelével sobre tua memória?

"Põe-me como um selo sobre teu coração, como um selo sobre teu braço!", diz o Esposo (Ct 8,6).

Isso disse o Senhor, para que sejam dirigidos a ele todos os pensamentos.

Põe a lembrança dele sobre teu coração para vedar a entrada a outro amor que possa mais que o seu; e sobre teu braço para fazer somente o que agrade a ele.

*Sem lembrar-me de ti, Jesus,
não viveria.
Mas muito te esqueci no passado,
sem perceber
que grande desventura significa o ofender-te.
Agora choro, Senhor,
por minha ignorância,
mas mais ainda por esse amor
que me manifestaste,
e que desprezei.*

*Entra em meu coração
e grava a fogo
como marca indelével,
essa doce lembrança
de tua Redenção.
Faz-me teu e não deixes
que se afastem de ti
meus pensamentos.*

A prática do amor a Jesus Cristo
Capítulo 4

*Redentor meu,
vejo-te na cruz,
pobre como ninguém,
condenado por todos,
abandonado da vida,
e "ferido para espiar
as maldades de meu povo".
Deixa-me que a teu lado
possa proclamar:
Criaturas todas,
olhai a que extremo
nos amou
o Deus que é Amor...*

Meditações sobre a Paixão

7. Pensa sempre na Paixão de Cristo

Nosso tempo não é tempo de temor, já que somos testemunhas de um Deus que ofereceu a vida para conseguir fazer-se amado. A paixão de Jesus foi considerada um excesso, por isso, ninguém que a medite poderá segui-la na mediocridade.

Se queres crescer na vida espiritual, pensa todos os dias nos padecimentos do Senhor, porque pensando neles é impossível que não te enchas de amor e fortaleza. Amor capaz de relativizar os demais afetos em comparação com o seu, e fortaleza para superar com alegria as provações e inevitáveis cargas na vida.

Certo religioso, vendo que queriam amarrá-lo com cordas para ser submetido a uma dolorosa operação, exclamou com o crucifixo nas mãos: "Para que preciso que me amarrem, se tenho entre as mãos o Senhor cravado em uma cruz por causa do amor? Estas são para mim as cordas que me obrigam a suportar por ele qualquer tormento". E passou pela cirurgia sem uma queixa, pensando naquele "Filho das dores que guardava silêncio" (veja Is 53,7).

Quem poderá desesperar-se ou irritar-se pela injustiça de seus sofrimentos, vendo Jesus ferido e despedaçado? Quem recusará sujeitar-se às exigências do bem comum, ao recordar Cristo obediente até a morte? Quem poderá amar as criaturas mais que a ele?

Quem poderá temer se abraça a cruz de nosso Redentor?

Lamentava-se Santa Teresa que alguns livros a tivessem aconselhado deixar de meditar sobre a paixão, porque a humanidade de Cristo poderia impedir-lhe a contemplação de sua divindade; e, consciente do erro, exclamava: "Ó Senhor e bem meu, Jesus crucificado, parecia-me haver-te feito grande traição, pois de onde me vieram a mim todos os bens, senão de vossa cruz?"

Dizia São Paulo que somente ambicionava conhecer o mistério da cruz, isto é, o amor que ela encerra: "Entre vocês, não tive a pretensão de conhecer coisa alguma, a não ser Jesus Cristo e Jesus Cristo crucificado!" (1Cor 2,2).

Perguntado São Boaventura de onde tirava tão copiosa e magnífica doutrina como a apresentada em suas obras, disse mostrando um crucifixo: "Este é o livro que dita tudo o que escrevo. Aqui aprendi o pouco que sei".

Duvidarias em consagrar-te por inteiro ao Redentor, se verdadeiramente conhecesses o mistério da cruz? Como, tendo-te amado até a loucura, ele não conseguiu ainda ganhar-te o coração? Tem presente que Cristo "morreu por todos para que os que vivem já não vivam para si, mas para aquele que por eles morreu e ressuscitou" (2Cor 5,15).

Como, Senhor,
poderei desconfiar de ti
ao contemplar teu sangue derramado?
Tu fizeste da cruz
o trono da misericórdia
e o fundamento sólido
de toda a minha esperança.
A ela recorro hoje, pois somente ela
pode sustentar-me.

Por todos morreste
para ganhar-te o afeto de todos;
mas quão poucos são
os que em verdade te amam.
Quero contar entre esses poucos.
Quero pôr em ti
meu gozo e meu contentamento.
Quem ou que circunstância
poderá apartar-me de ti?
Dá-me, Senhor, amor para querer-te.

Meditações sobre a Paixão
Dos capítulos 1 e 16

Os escritos sobre a Paixão

As meditações e reflexões sobre a Paixão de Jesus Cristo abrangem não menos de dez obras diferentes, com títulos muito parecidos entre si.

O Crucificado, como a proclamação mais concreta e palpável do amor de Deus, é um tema central em Santo Afonso. Captou como ninguém este núcleo da mensagem cristã, e o expôs de modo apaixonado e vivo.

Além de proporcionar um conteúdo ao devocionismo de sua época, exagerando às vezes, pôde resumir a razão que o moveu a escrever essas páginas, no célebre verso de Dante: "O amor que me move me faz falar".

José María Lorca

8. O sangue de Cristo grita misericórdia

"Jesus sabia que tinha chegado a hora de passar deste mundo para o Pai. E como amasse os seus, que estavam no mundo, amou-os até o fim" (Jo 13,1).

Nenhuma inteligência chega por si só a compreender a intensidade de semelhante amor. Por isso, as almas favorecidas com esta certeza ficam admiradas quando, inquiridas sobre o significado de tão grande mistério, revelam seu próprio mistério e o deixam transparecer e ser sentido.

Daqui pode nascer o poder de suportar martírios; daqui o caminhar sobre brasas como sobre rosas; daqui o superar os medos e o abraçar o que o mundo abomina.

A alma desposada com Cristo — disse Santo Ambrósio — voluntariamente se une a ele na cruz, e nada exibe com maior glória que as insígnias do Crucificado.

Mas, para alcançar essa perfeita união, é preciso ainda:
— Ter viva e permanente memória dos dons de Deus.
— Considerar continuamente sua infinita bondade.
— Evitar com suma diligência tudo quanto ofende a seus olhos.
— Libertar o coração dos bens efêmeros.

— E, sobretudo, meditar sobre a paixão de Cristo.

Em que, senão na Cruz, se fundamenta nossa esperança de perdão e de vida? Ou a força contra os desalentos? Ou a confiança de se alcançar salvação? Ou o nobre impulso para mudar de vida?

O sangue de Jesus grita em nosso favor pedindo a misericórdia. Jesus ora em nós como esse mediador de paz que alcança o perdão... Quem poderá condenar-te?

Consola-te pensando que o Pai designou como Juiz aquele que antes foi teu Redentor. E ele, para não te condenar, condenou-se a si mesmo.

Arrancou de tua consciência o decreto que te sentenciava, fixou-o a sua cruz, e o apagou depois com sangue. Nesse momento, brotou sobre seu coração regenerado a esperança da misericórdia.

Certo dia estava São Francisco chorando copiosamente, e quando alguém lhe perguntou pelo motivo de suas lágrimas, disse:

— Choro pela humilhação de meu Senhor. Entristece-me, sobretudo, que os homens por quem tantas injúrias sofreu passem ao largo com indiferença.

E, dizendo isso, aumentou-se-lhe o ímpeto do pranto, ao qual misturou-se o de seu interlocutor...

E acometido um dia por grave enfermidade, ofereceram-se para ler-lhe um livro que de algum alívio lhe servisse, ao que ele replicou:

— Meu livro é o Crucificado.

Como pagar tua generosidade, Deus meu?
Se o sangue com sangue
devesse compensar-se,
verias-me a mim cravado nessa cruz.
Põe meu corpo no lugar do teu,
alarga essa coroa,
habita em mim, Senhor,
e que esses cravos
chaguem meu coração de dor.

Quando te olho, tudo o que vejo
me convida a querer-te:
teu perfil, tuas feridas
e essa voz silenciosa
que me chama ao amor.
Faz que eu morra, Senhor,
a todo sentimento
que não leve a ti.

A prática do amor a Jesus Cristo
Capítulo 1

"Ó pão do céu"

*Ó pão celestial
que em tal aparência
ocultas Deus,
para dar-te a teu povo
assim te repartes.
Te amo e adoro,
tesouro valioso.
Ó laço amoroso
que unes o servo
com tão grande Senhor,
viver sem amar-te
é viver em vão.*

Canções espirituais

9. A Graça foi maior que o pecado

Nosso Redentor veio ao mundo para pagar a pena que por nossas faltas merecemos. Por isso anima-nos o Apóstolo: "Se o sangue de bodes ou touros e a cinza da novilha, com que se aspergem os impuros, santificam e purificam pelo menos os corpos, quanto mais o sangue de Cristo, que pelo Espírito eterno se ofereceu imaculado a Deus, limpará nossa consciência das obras mortas" (Hb 9,13-14).

Nem sequer para pedir perdão teríamos sido dignos de apresentar-nos diante de Deus. Mas Jesus comparece como nosso advogado e nos alcança o favor que havíamos pedido: "Entrou num santuário para comparecer agora na presença de Deus em nosso favor" (Hb 9,24).

Ainda agora seu sangue implora com maior força e veemência do que o sangue de Abel pede vingança contra Caim.

Por isso, não há melhor refúgio para o delinquente que as chagas do Crucificado. Elas são aquelas frestas entre as pedras onde a pomba do Cântico dos Cânticos encontrava seu descanso (2,13). Nelas encontramos remédio eficaz para curar-nos da desconfiança que engendra nossa maldade, e força contra essa impotência que nos impede de amar.

Então ouvimos Jesus que diz: "Coragem! Pois eu venci o mundo" (Jo 16,33).

Quem se atreverá a condenar-te depois que Jesus morreu? — pergunta o apóstolo (Rm 8,34). Que podes temer se nele te acolhes? Vai rejeitar-te, se a seus pés te arrojas, aquele que desceu do céu para buscar-te quando fugias?

Se duvidas, é porque te esqueces do muito que lhe custaste. Se desconfias, é porque ignoras que teu nome está escrito nas chagas que se abriram em suas mãos.

"Eis o Deus de minha salvação" — podes dizer com Isaías —, "confiarei e não terei medo" (Is 12,2). Porque a graça de Cristo é mais eficaz que o pecado. Porque não se pode estabelecer comparação entre tua infidelidade e o dom de Jesus Cristo que Deus fez para ti. Porque "onde o pecado proliferou, mais abundante tornou-se a graça" (Rm 5,20).

As feridas do Crucificado são essa "fonte que regará o vale das acácias" (cf. Jl 4,18). Inunda-te até transformar em flores tua aridez. "Sendo rico, se fez pobre por vós a fim de vos enriquecer com sua pobreza" (2Cor 8,9).

Cristo é tua sabedoria porque te instrui; tua justiça porque te perdoa; tua redenção porque te resgata; tua vida porque veio para dá-la a ti copiosamente.

Sem dúvida, tu não tens meios para corresponder a Deus por tais dons. Por isso, quando confundido com tanto amor te perguntares como podes pagar, diz com Davi: "O Senhor pagará por mim" (cf. Sl 137,8).

Bom Pai,
não te peço bens terrenos,
mas luz para meu entendimento,
para compreender
quão grande é tua bondade.
Nunca me cansarei
de dar-te graças,
pelo dom de teu Filho.
Graças por seu precioso sangue,
graças por sua amorosa morte.

Não te peço bens da terra,
e sim os frutos de sua Redenção:
Se sou fraco, dai-me fortaleza.
Se minha alma adoece,
cura-a com teu perdão.
Dá-me teu amor e a constância nele.
Concede-me o consolo
de terminar minha vida
com a confiança de pertencer-te.

Meditações sobre a Paixão
Capítulo 14

Pela lei do crescimento

Santo Afonso não foi um intelectual afastado do mundo. Toda a sua teologia traz uma orientação pastoral. Continuamente avisa, aos que têm responsabilidades pastorais, que o mais importante é guiar as almas para a confiança na graça.

A essa orientação pastoral corresponde seu apreço pela lei do crescimento. Não quer que se oprimam com leis os cristãos até então ignorantes ou que se converteram recentemente depois de um longo afastamento de Deus.

O que importa é progredir no bem e não apoiar-se na lei além do necessário.

Bernhard Häring

10. A cruz como trono da Graça

Se pela tua fraqueza te sentes sucumbir na batalha da fé, eis, segundo a Palavra de Deus, como deves lutar:

"Corramos com perseverança para o combate que nos cabe, de olhos fitos no autor e consumador de nossa fé" (Hb 12,1-2).

Anda, pois, com ânimo redobrado, com os olhos fixos na bandeira da cruz, da qual Jesus te oferece ajuda. Pois se no passado sucumbiste foi por não te apoiares nele. E se no futuro não o deixares, asseguro-te que ele voltará em tua ajuda e ver-te-ão triunfante.

Dizia Santa Teresa que, se não colocamos nossa confiança no Senhor, de nada servem nossos esforços: "Eu buscava remédio, mas talvez não entendesse que de nada aproveita todo o nosso esforço se não confiamos em Sua Majestade".

Cristo fez da cruz o seu trono para distribuir o dom e a misericórdia. Mas é preciso ir depressa buscá-los, pois é tempo ainda de encontrar remédio oportuno. "Aproximemo-nos, pois, confiantemente, do trono da graça, a fim de alcançar misericórdia e achar a graça de um auxílio oportuno" (Hb 4,16).

Apressa-te a abraçar a cruz, apoiado na mais firme esperança. E não te desanimes pela fragilidade que te causa o ser pobre, pois nele encontrarás os bens que te faltam: "Porque nele fostes enriquecidos em tudo... de modo que não vos falta graça alguma" (1Cor 1,5.7).

Pelos méritos de Jesus, os tesouros de Deus vieram a constituir-se em nossa herança. Mais ganhamos, por sua graça, do que perdemos pela desgraça de nossos erros e maldades, porque "onde o pecado proliferou, mais abundante tornou-se a graça" (Rm 5,20).

Cristo anima-nos a esperar, ensinando-nos ao mesmo tempo a fórmula para obter o objeto de nossa esperança: Pedir incessantemente ao Pai em seu nome (Jo 16,13).

Como poderia o Pai negar-te graça alguma de tua conveniência, depois de haver-te dado inclusive seu Filho? Se te deu o mais, não te negará o menos. Não só te dará o perdão, nem só a fidelidade, nem o amor somente, mas tudo o que sua riqueza e generosidade permitem.

Se crês que Deus te presenteou seu Filho, tem por certo que te dará também os outros dons. Não queiras pensar que Cristo se esqueceu de ti, pois em sua memória e de seu amor te deixou o maior presente que tinha, que não é outro senão ele mesmo.

*Ataste-me com tão forte laço
de amor, que nada me desata.
Tão forte reclamaste
por mim, misericórdia,
que apagaste as vozes de minha culpa.
Nada me atemoriza, Cristo,
quando tu me acompanhas.
Nada me acusa tanto
quanto tu me perdoas.*

*Se me cercam temores ou pecados,
se minha própria consciência me condena,
tu me alivias, alegras e dás vida.
Vejo-me tão querido por ti,
meu fiador benigno e diligente,
que hoje te entrego
toda a minha confiança.*

A prática do amor a Jesus Cristo
Capítulo 3

Fundamentação bíblica

Em quase todos os escritos espirituais de Afonso, porém, em especial nos que se referem à Páscoa, ressaltam-se os constantes apoios bíblicos de que ele se serve. Algumas passagens transformam-se em verdadeiros mosaicos de citações bíblicas que se explicam quase que por si mesmas.

Nisto Afonso adianta-se a seu tempo, ao compreender que uma sólida vivência cristã fundamenta-se, sobretudo, na Palavra de Deus.

Embora seja comum ilustrar seus escritos com argumentos de peso, quer fazer ver que é a Palavra revelada — e, principalmente São Paulo — que com mais eloquência testemunha o mistério cristão.

José María Lorca

11. Ele leva a cruz contigo

É muito bom no combate da fé abastecer o espírito com a meditação. Mercê desse recurso, os santos responderam com tanta mansidão, conservando a calma diante das injúrias, ao ser perseguidos, ao padecer qualquer dor ou qualquer perda, inclusive a de seus entes mais queridos.

Essas vitórias, em geral, só as conseguem aqueles que têm o domínio sobre sua mente, e não aqueles a quem arrastam a vaidade e o prazer desmedido. Por isso diz Santo Agostinho que, na vida espiritual, há que se controlar primeiro o prazer e depois a dor.

Quem depende do agrado alheio dificilmente sofrerá uma afronta sem perder também a alegria e a graça.

De Jesus Cristo, mais que de teus esforços, deves esperar a energia que te permita viver na amizade de Deus. Mas também a vida é luta e domínio de si. Querer, por exemplo, parecer diante dos outros o que não és, ou molestar-te por qualquer desatenção, ou ceder em tuas convicções por respeito humano, ou alimentar rancores no coração, ou perder-te em considerações e palavras superficiais... são coisas que podem separar-te de Deus.

Lamentas-te por não encontrar um caminho fácil para a oração. Mas como vais beneficiar-te dos consolos do Senhor, se tens o coração amarrado à terra? Se semeias mesquinharias, mesquinhamente também colherás.

Jesus, em sua humildade, mereceu-te o favor de vencer a soberba. Com sua fragilidade, deu-te a fortaleza de superar desprezos. Com sua pobreza, vence toda avareza, e com sua paciência, amansa toda cólera.

A cruz é inseparável da vida. Se queres ter paz, terás de carregá-la pacientemente. Se assim a carregas, ela te levará a Jesus.

Aquele que arrasta a cruz de má vontade sente seu peso por pequeno que seja; mas quem a abraça ao lado de Cristo, já não sente a carga por pesada que seja.

Deixa-o abraçar tua cruz, que ele a leva contigo.

Por que, se na vida de Cristo houve uma cruz, tu só caminhas atrás do que é prazeroso? Queres realizar-te sem padecer ou padecendo com impaciência? Não sabes por acaso que desse modo sofres o dobro?

Não podes forjar-te a ilusão de amar a Jesus Cristo, se resistes a estar crucificado com ele. Olha que ele derramou por ti seu sangue, e tu não entregaste contudo nem uma gota por ele. Que contrariedade vai derrubar-te se meditas no amor de sua paixão?

*Ó Salvador do mundo
e minha única esperança,
afasta meu coração de todo amor
que me prive do teu.
Tantas vezes me abandonei
nas mãos de amores passageiros,
que temo novamente perder-te.*

*Como poderei forjar
a ilusão de amar-te
se resisto a incorporar-me
a tua paixão e morte?
Como posso presumir de seguir-te
se não te permito
que abraces minhas cruzes?
Já que por mim, Senhor,
deste a vida,
não deixes que se perca tanto amor,
e faz que me entregue
completamente a ti.*

Reflexões sobre a Paixão
Capítulo 9

Linguagem popular

A linguagem popular alfonsiana é algo mais que um fato literário: Nasce de sua identificação vital com o povo mais pobre. Isso leva-o a rejeitar a linguagem sofisticada e obscura, para escolher o mais concreto e simples.

Outro aspecto que caracterizava seu arraigamento na cultura do povo pobre é o sentimento. Basta abrir qualquer de seus livros para perceber que ele se expressa, reza, pensa e faz teologia com o coração na mão.

Afonso ofereceu ao povo os ideais mais altos nas fórmulas mais humildes, os afetos místicos nas palavras mais simples.

Sabatino Majorano

12. Espírito, fonte de água viva

Disse nosso Redentor à Samaritana: "Quem beber da água que eu lhe der jamais terá sede" (Jo 4,13).

A água é o amor para o sedento, pois quem está imbuído de verdadeira caridade nada mais busca nem deseja, já que em Deus encontra todo bem.

Com razão queixava-se o Senhor de tantos que vão como que mendigando breves satisfações incapazes de saciar, sem reparar sequer nele, que é bem infinito e fonte de alegria: "Eles me abandonaram, a fonte de água viva, para cavar para si cisternas furadas que não podem reter água" (Jr 2,13).

Por isso Jesus Cristo, que deseja ver-te feliz, levanta sua voz para gritar: "Se alguém tiver sede, venha a mim e beba... do seu interior correrão rios de água viva" (Jo 7,37.38). Que significa: Derramarei os dons do Espírito Santo sobre os que me seguem, em abundância tal, que transbordarão a si mesmos e afogarão aos demais.

Que esta água viva seja o Paráclito, declara-o muitas vezes o mesmo Evangelista: "Referia-se ao Espírito que haviam de receber aqueles que cressem nele" (Jo 7,39).

A oração é a chave que abre para ti o canal dessa água viva. Onde senão nela se dispõe o coração e se dilata a vontade para acolher os consolos e dons de quem é o doador de todo bem? Quando desce sobre ti seu celestial orvalho, senão quando sentindo-te terra seca te entregas à comunicação íntima com ele?

Certa oração da Igreja diz: "Que a infusão do Espírito Santo purifique nossos corações e fecunde- -os com sua chuva interior". Isso porque o Espírito suaviza a paixão, aniquila os sentimentos duvidosos, faz germinar a caridade, e amadurece o fruto dos bons propósitos.

Se te sentes cego, confuso ou pobre, ora ao Espírito que habita em ti. O mesmo que te fez Filho de Deus e do teu desamparo grita "Pai!" te devolverá à vida. Enviará a tua mente um raio de sua luz, para que te conserves na verdade. Para que cresças na caridade, ele te afogará em seu amor. Ele te fortalecerá para que no combate da fé não te rendas.

O Espírito é a bondade de Deus. E, contudo, quem o conhece, quem o invoca? Quantos cristãos teriam de dizer com os neófitos de Éfeso: "Se há um Espírito Santo, o conhecemos muito pouco, e o invocamos menos ainda".

Ó Espírito, Advogado,
Luz dos corações,
e Pai dos pobres,
Amor de Deus e Santificador
da Igreja...
Dá-me de beber
a água de teus dons.
Minha alma é terra seca
que não produz
mais que espinhos e abrolhos.

Ó fonte de água viva,
inunda-me com teu caudal.
Não permitas
que eu vá beber
águas contaminadas.
Rega meu coração
em tempo de seca.
Que o tédio não sufoque nem mate
a vida que me infundes.
Vem, Espírito Santo,
e enche-me de teus dons.

Da "Novena ao Espírito Santo"

A "Novena ao Espírito Santo"

O Espírito ocupa um lugar de destaque na oração de Afonso. Porque "é o dom do amor que o Senhor derrama em nossas almas".

Partindo desta consideração prévia, escreve sua "Novena ao Espírito Santo" e o faz — disse — porque foi "a primeira que celebraram os Apóstolos com Maria, na qual receberam tantos e tão maravilhosos carismas".

Afonso proclama com força a ação do Espírito na história da salvação: "É ele que derrama todos os benefícios sobre o mundo... Quem cumula de favores a alma de Maria, dando-nos nela o Cristo... Quem enche de carismas a primeira Igreja".

Manuel Gómez Ríos

13. Eucaristia, penhor de seu afeto

Sabendo o Salvador que ia deixar a terra, quis presentear-nos o dom extraordinário da Eucaristia.

As provas de amizade que mais se apreciam e melhor se recordam são as das despedidas. Por isso os amigos costumam deixar, como lembrança e como penhor de seu afeto, algum objeto especial. Mas o Senhor não nos deixou, ao partir, um vestido, um anel nem qualquer outro objeto, e sim seu próprio corpo e sangue, isto é, sua pessoa.

"Sacramento de caridade, penhor de amor" chamava à eucaristia Santo Tomás. E São Bernardo a denominava "Amor dos amores", pois este dom encerra em si todas as misericórdias que o Senhor nos fez, desde a criação até a promessa dessa vida eterna com que já nos nutrimos na comunhão.

Quem houvera jamais imaginado que Jesus se deixasse como alimento, escondido no pão? Não soam como loucura — diz Santo Agostinho — as palavras de Cristo: Tomai e comei, esta é minha carne; tomai e bebei, este é meu sangue?

Por isso, quando anunciou aos discípulos este sacramento, para muitos essa promessa pareceu insensata, por isso afastaram-se escandalizados: "Como pode este dar-nos a beber seu sangue? Estas palavras são duras! Quem as pode aceitar?" (Jo 6,60).

O amor sempre tende para a união. Por isso quis Cristo que o recebêssemos como alimento, pois as pessoas que mais intensamente se amam desejam estar juntas até fundir-se em uma só. Do mesmo modo age Deus: Como se não pudesse tardar essa união que reserva a seus amantes no céu, instituiu a eucaristia para antecipar-nos essa vida nele: "Quem come minha carne e bebe meu sangue permanece em mim e eu nele" (Jo 6,56).

Na sagrada comunhão, Jesus Cristo e a alma unem-se de tal forma, não só afetiva, mas efetiva e real, que em nenhum outro instante nem mistério há mais terna e intensa comunicação entre ambos. De tal forma Jesus penetra a alma e se assemelha ao corpo, que já não somos nele senão uma só e mesma coisa.

Sendo assim, não podes fazer nem imaginar algo mais gratificante que hospedar Cristo, pois tal é o desejo de tão apaixonado amigo. Recebe-o, ainda que não te sintas digno, pois se fosse necessário ser digno ninguém jamais poderia comungar. Recebe-o apenas com as disposições exigidas, ou seja: encontrar-te na amizade de Deus, e ter vivo desejo de aumentar o amor a Jesus.

E se te vires frio nesse amor, não te afastes por isso da eucaristia. Quem, por estar sentindo frio, quer afastar-se do fogo? Confia-te totalmente à misericórdia do Senhor, pois quanto mais enfermo se encontra alguém, tanto mais necessidade tem de médico.

Ó Deus de amor,
que mais poderias inventar
para fazer-te próximo
e sujeitar-te a mim?
Não te bastou vestir-te
com meu corpo
nem dar por mim a vida,
mas te tornaste oculto no pão
para ser meu alimento.

Se eu por ti
enlouquecesse de amor,
nada de extraordinário faria.
Mas tu somente queres
que a esse oferecimento eu corresponda
abrindo-te a porta de minha casa.
Entra nela, Senhor,
e encerra neste lar
todo o amor que couber.
Desejo receber-te
da maneira que mais te agrade.

A prática do amor a Jesus Cristo
Capítulo 2

Entrar pelo coração

Afonso é uma personalidade complexa, com marcante capacidade de assimilação intelectual, mas também de uma forte sensibilidade e de fecunda vida afetiva.

Os discursos doutrinais não faziam em geral parte de sua vida. Somente pelo coração era possível chegar a Afonso.

Noel Londoño

14. Comparo Maria com a oliveira

Que pode brotar de uma fonte de piedade — pergunta São Bernardo — senão piedade?

Por isso comparo Maria com a oliveira. Porque assim como dessa árvore sai o azeite, símbolo de suavidade e de energia, de suas mãos só brota o bálsamo regenerador da doçura.

Portanto, se recorres a Maria em busca do óleo da piedade, não penses que ela possa recusar-te, já que nunca se esgota o potencial daquela que está plena de graças.

Assim como as virgens prudentes levaram azeite em suas vasilhas, esta Virgem prudente e por demais generosa, é ela mesma um vaso que transborda, de maneira que, repartindo-se copiosamente, a todos ilumina.

Maria clareia do mesmo modo que o sol faz com todos os corpos celestes e terrestres. Ninguém há que, recomendando-se a ela, não participe por sua mediação da misericórdia de Deus.

No reino de Valência havia um malfeitor famoso que, para livrar-se da justiça, decidiu fazer-se turco. Quando se dirigia ao porto com a intenção de embarcar, resolveu passar por uma igreja na qual certo missionário estava falando de Deus como misericórdia. Comoveu-se até o arrependimento ao ouvir suas palavras, e ao perguntar-lhe o confessor que devoções havia praticado para receber esse favor, respondeu o ditoso convertido que só havia pedido diariamente a Maria que não o abandonasse.

Outro famoso aventureiro vivera turbulentamente durante cinquenta e cinco anos, e sua única devoção era o costume rotineiro de saudar todas as imagens de Maria que encontrasse por onde passava. Durante uma disputa, sua espada se quebrou e, em tão difícil situação, recordando-se da Virgem, exclamou: "Ai de mim, valei-me, minha Mãe..." Ao dizer isso, viu-se repentinamente trasladado para um lugar seguro, fez serena confissão de suas culpas, e por fim morreu cheio de confiança em Deus.

Maria é uma oliveira plantada no meio dos campos. Em campo aberto onde reina o perigo, e não em jardim protegido de cercas de espinhos. Deus plantou-a ali para que todos possam aproximar-se dela para recolher seu fruto.

Sob seus ramos o pobre encontra asilo, o enfermo remédio, o aflito consolo e o que duvida encontra conselho.

Azeite derramado é teu nome, diz o Cântico dos Cânticos (1,1). Assim como o azeite cura as feridas, asperge sua fragrância e alimenta a chama, assim também Maria cura as chagas que tuas culpas provocam, alegra teu coração entristecido e é capaz de inflamar-te no amor a Deus.

*Ó Mãe de Jesus e minha Mãe,
ajuda do que vive,
salvação do que morre,
faz que eu sempre invoque
esse teu doce nome
que tanto alento e confiança
sabe comunicar-me.*

*A tua piedade recorro
para alcançar de Deus
conformidade com o que mais lhe agrade.
Inspira-me humildade,
tu que foste perfeitamente humilde;
paciência nas contrariedades,
tu que foste paciente;
amor a Deus e ao próximo,
tu que foste toda caridade.
E para aproximar-me confiante de Deus,
dá-me a confiança em ti,
meu refúgio e consolo,
minha onipotente intercessora.*

Glórias de Maria
Capítulo 9

"Glórias de Maria"

Este livro, com mais de 1.000 edições e um dos mais belos escritos por Afonso, só é possível entendê-lo a partir da solidariedade de Maria com os pobres.

Não é ideologia nem teologia evasiva, mas um grito de libertação do fundo deste vale de lágrimas.

Afonso é o autor que com mais força representa Maria como colaboradora da redenção de Cristo, de modo que não é possível entender o mistério cristão sem referir-se à presença da mulher.

Maria é em Afonso uma opção clara pelo feminino, tão duramente marginalizado na cultura de seu tempo. Introduz a cordialidade, a ternura e a graça de Maria na oração cristã e na celebração da fé.

Manuel Gómez Ríos

15. Quem temerá se a ela se confia?

Não é em vão que aqueles que amam Maria a chamam de Mãe.

Dir-se-ia que não sabem chamá-la de outro modo, pois ela nos gerou a vida no Calvário, quando ofereceu seu Filho para nossa redenção.

Por desejar o bem a todos nós, consentiu em entregar Cristo, podendo com toda razão chamar-nos de filhos de suas dores.

Ditosos os que vivem sob o amparo de mãe tão amorosa. Quem ou que circunstância terá a ousadia de arrancar de seu seio aquele que nele se refugia? Que paixão ou problema conseguirá vencer-te se pões tua confiança em Maria? Que tormenta te poderá abater se confias tua sorte ao cuidado desta Mãe?

Dizem que as baleias, quando veem suas crias em perigo, encurraladas pelos pescadores ou surpreendidas na furiosa tempestade, abrem a boca para tragá-las, e as abrigam em seu seio.

Assim age justamente esta piedosa Mãe quando vê seus filhos vacilarem no meio do perigo. Guarda-nos nas entranhas e não nos abandona até chegarmos ao porto seguro da bem-aventurança.

Ânimo e confiança. Quem temerá perder-se se põe o coração nessa boa Mãe?

Eu me alegrarei e saltarei de gozo, porque minha causa maior está nas mãos de meu Irmão Jesus e de Maria minha Mãe.

Ouço uma voz de amor que me chama e me diz: "Quem for simples venha a mim!" (Pr 9,4).

Aos meninos não lhes sai da boca o nome de sua mãe, e a qualquer ameaça ou preocupação eles a chamam. E assim como as mães geralmente querem mais ao filho que mais trabalho lhes custou criar, Maria nos ama em proporção às dores que a morte de Cristo lhe causaram.

Quem temerá se a ela se confia e se, além disso, o Senhor a constituiu provedora de paz para os pecadores?

Não há dúvida que Maria é a pacificadora, a que sabe alcançar de Deus perdão para os inimigos, saúde para os desenganados, clemência para os delinquentes, misericórdia para os desesperados...

Se uma mãe tem dois filhos que não se entendem, o que não fará para conseguir a paz entre eles? Quando Maria percebe que alguém incorreu em inimizade com Cristo, não descansa até conseguir sua pacificação.

Diz São Bernardo: "Tu és mãe tanto do réu como daquele que absolve. Não podes consentir que entre os dois haja discórdia".

*Depois de Jesus, em ti Maria,
depositei toda a minha esperança,
pois reconheço que os dons
com que Deus me cumulou,
são mercês
que por ti ele me concede.*

*Bem sabes que para fazer-te amar
a todos como mereces,
e para dar-te alguma prova
de agradecimento,
trabalho sem descanso
para inculcar tua doce devoção.
Enquanto me restar
um sopro de vida,
penso continuar difundindo
tuas glórias,
para animar a outros
a proclamar os tesouros de piedade
que dispensas.*

Glórias de Maria
Capítulo 1

"Preparação para a morte"

Manual de meditações substancioso e completo que em Nápoles teve um enorme êxito editorial, com nove edições antes da morte de Afonso.

Obra impregnada de sua unção característica e dirigida para "dar como que uma bateria ao coração humano para entregá-lo ao Senhor". Dotado taticamente de algumas descrições cruas que impressionaram as pessoas frívolas das tertúlias contemporâneas.

Contudo, nela predominam os tons de esperança e de luz já que, segundo o próprio Afonso, "as almas que se movem somente pelo temor recaem facilmente, mas as que se amarram ao Senhor com laços de amor, oferecem garantias de perseverança".

Raimundo Tellería

16. Assim é a morte dos bons

Creem os insensatos que os justos morrem tristes e contrariados. Mas não, pois Deus sabe consolar seus filhos na morte; ainda entre as dores da agonia lhes faz sentir uma grande doçura, antecipação da que logo lhes dará no céu. Os santos, pela esperança e pelo desejo que têm de desfrutar rápido de Deus, já antes de morrer começam a experimentar aquela paz de que logo gozarão plenamente.

Padre Suárez morreu com tamanha paz que, pouco antes de expirar, disse: Não imaginava que morrer fosse tão doce.

O cardeal Barônio, admoestado pelo médico que não pensasse tanto na morte, perguntou: E por quê? Será porque a temo? Não a temo, e sim a amo!

O cardeal Fisher, ao morrer pela fé, vestiu a melhor roupa que tinha, alegando que ia às bodas. Quando avistou o patíbulo, deixou de um lado o bastão, e disse: "Eia, meus pés, que a distância do paraíso já é pequena". Antes de morrer, rezou o *Te Deum*, em agradecimento a Deus que lhe permitia morrer mártir pela fé e, todo alegre, colocou sua cabeça no cepo.

São Francisco de Assis, ao morrer, cantava e convidava os demais a unirem-se ao seu canto. "Pai — disse-lhe Frei Elias — a morte é para chorar, não para cantar." "Pois eu — replicou o santo — não posso senão cantar, vendo que logo estarei gozando em Deus."

Uma religiosa teresiana, que morria muito jovem, vendo chorar as monjas que a rodeavam, disse-lhes: "Mas por que chorar? Vou encontrar meu Jesus; se me amais, alegrai-vos comigo".

Conta o padre Granada que um caçador encontrou um leproso solitário que estava para morrer e cantava. Perguntou-lhe: "Como podes cantar, estando assim?" "Irmão — respondeu-lhe o ermitão — entre mim e Deus não há outro obstáculo que o muro de meu corpo. Agora vejo que este cai em pedaços, que meu cárcere desmorona e vou ver a Deus; por isso me alegro e canto."

Esse desejo de ver a Deus levava Santo Inácio Mártir a dizer que se as feras não se lançassem para tirar-lhe a vida, ele mesmo se encarregaria de atiçá-las, para que o devorassem.

Santa Catarina de Gênova não podia compreender que alguns tivessem a morte como uma desgraça, e dizia: "Querida morte, como és malvista. Por que não vens a mim que, dia e noite, estou te chamando?"

E Santa Teresa desejava tanto morrer, que sentia como sua morte o não morrer; e esse sentimento a levou a compor a sua célebre canção: "Que morro porque não morro".

Assim é a morte dos santos.

*Quando chegará, Senhor, o dia
em que possa dizer-te
que não mais poderei perder-te?
Quando me será dado
olhar-te face a face?
Quando descansarei por fim
em tua desejada paz?*

*Ainda que tema deixar esta vida,
é maior meu desejo de ver-te.
Se quero continuar servindo-te aqui
é somente para crescer
na vontade de amar-te.
Permite-me que antes de partir
seja completamente teu.
E já que me buscaste
quando fugia de ti,
agora que te busco
sai, Deus meu, ao meu encontro.*

Preparação para a boa morte
Consideração 9ª

... E AGRADAR A DEUS

17. Senhor, que queres que eu faça?

Quem ama Jesus Cristo de todo o coração, senão aquele que diz com o Apóstolo: "Senhor, que queres que eu faça?" (cf. At 9,6).
Quando queres o que Deus deseja, estás buscando teu verdadeiro bem, pois o Senhor recompensa com alegria qualquer pensamento que para agradar-lhe se conceba. E não deixa sem prêmio qualquer tribulação superada com paciência e para conformar-se a ele.

Porém, tua conformidade com o querer divino haverá de ser inteira e sem reservas, constante e irrevogável, para a qual deves encaminhar teus desejos, ações e orações.
Há pessoas dadas à oração que quiseram entrar em êxtase e impulsos para chegar desse modo à união sobrenatural. Mas a verdadeira união com Deus consiste em fazer nossos seus desejos "Porque não está a suma perfeição — disse Santa Teresa — em grandes arroubos nem em visões, mas em estar nossa vontade conforme a sua".
Muitas vezes dizes: Senhor, que queres que eu faça? Mas se sobrevém a desgraça, perdes em seguida a calma, sem deter-te para discernir se é vontade de Deus que incorpores serenamente a tua vida essa contrariedade. Então te lamentas de tua má sorte, como se

uma espécie de destino quisesse que levasses uma vida infeliz.

Se queres ser a pessoa mais feliz do mundo, acomoda tua vontade àquilo que te acontece, sem inclinar-te sempre, como diz a Bíblia, na direção dos ventos.

Pois há pessoas semelhantes à vela, que se movem conforme sopra o vento: Se ele vem sereno e como lhes convém no momento, andam mansos e alegres; mas se sopra contrário e as coisas não vêm na medida de sua vontade, ficam tristes e com o semblante irado. Nunca têm paz.

Os amigos de São Vicente de Paulo diziam que Vicente era sempre Vicente, já que em todo momento, fosse próspero ou adverso, ele era sempre o mesmo.

Feliz o que vive abandonado por inteiro ao divino querer. Nem a prosperidade o exalta nem o abatem as adversidades. A vontade de Deus é regra para seu querer, e não faz senão aquilo que Deus quer, e não quer senão aquilo que Deus faz.

Tu te atirarás por fim nos braços do bom Pai, deixando que ele cuide de tua pessoa e de teus interesses, conservando para ti somente o desejo de agradar-lhe e de servir-lhe?

Senhor, que queres que eu faça?

*F*az-me saber, Senhor,
o que de mim desejas,
que estou disposto
a fazê-lo todo.
Dou-te minha vontade.
Já nada quero
fora do que tu desejes.
Que dom do céu
posso desejar,
ou que felicidade da terra
desfrutar, fora de ti, Deus meu?

Toma-me por inteiro.
És minha única herança,
o absoluto dono de minha vida.
Dispõe de mim
como melhor te agrade.
Aceita-me por tua paixão,
apodera-te de mim, Senhor, e diz-me:
Que desejas que eu faça?

A prática do amor a Jesus Cristo
Capítulo 13

Esquema e programa da espiritualidade de Afonso

Afonso expõe num breve escrito em honra de Santa Teresa:

"Toda a espiritualidade se reduz a pôr em prática duas coisas: o desapego das criaturas e a união com Deus. Esse programa se encontra naquele ensinamento de Jesus Cristo: 'Se alguém me quiser seguir, renuncie a si mesmo, tome sua cruz e me siga'" (Mt 16,24).

Essa manifestação expressa de modo perfeito o conteúdo central e a orientação básica da espiritualidade alfonsiana: Tomar distância das criaturas para aproximar-se mais de Deus, num dinamismo de negação e afirmação.

Marciano Vidal

18. Aqui estou para fazer tua vontade

Na expressão do Apóstolo, Cristo disse ao entrar neste mundo: "Não quiseste sacrifícios nem oblações..." Então disse: "Eis-me aqui, venho para fazer, ó Deus, tua vontade" (Hb 10,5.7).

Pela boca de São João, Jesus assim se expressa: "Desci do céu não para fazer a minha vontade mas a vontade de quem me enviou" (Jo 6,38).

E quando ensinou a seus discípulos o Pai-nosso, concluiu suas súplicas com um "Faça-se a tua vontade".

Quando Paulo recebeu a luz de Jesus Cristo, depois de perseguir a Igreja, o que disse? Só isto: "Senhor, que queres que eu faça?" (At 9,6); e naquele momento foi escolhido como o canal que levaria o nome de Deus aos gentios.

Quem reparte esmolas dá ao Senhor parte de seus bens; o que ajuda oferece-lhe seu alimento; mas o que entrega a Deus toda a sua vontade dá-se todo a ele. Então podes dizer: Senhor, agora sou verdadeiramente pobre porque, tendo dado a ti minha pessoa, já nada me resta.

Não é difícil aceitar com gosto, como disposição divina, um sucesso feliz. Mas é na aceitação também das contrariedades que se prova a qualidade de nossa união com Deus. Por isso dizia João de Ávila que vale mais um "bendito seja Deus" na desdita que mil "graças a Deus" na prosperidade.

Deus não pode aprovar a ação dos que injustamente nos ofendem. Se cais enfermo, podes e deves buscar alívio e, inclusive, pedir a Deus tua cura. Em geral é melhor ter talento, habilidade e bom aspecto físico, que ser lento no entendimento e pouco prendado...

Pois bem, que proveito tirarias amargando-te por aquilo que acaso não se possa remediar? Quem, ao receber um dom, põe condições para aceitá-lo? Não é mais inteligente contentar-te com o que te foi dado, que acrescentar um novo sofrimento à limitação pela qual te entristeces?

"Para os que amam a Deus — diz São Paulo — todas as coisas se tornam boas" (cf. Rm 8,28). O segredo é saber conformar-se com sua vontade.

"O homem sábio permanece sempre como o sol, mas o néscio muda com a lua" (cf. Eclo 27,12). Isto é, o que está submetido ao capricho de tudo o que acontece, hoje cresce e amanhã míngua, tão fácil ri como se lamenta, hoje está calmo e amanhã furioso: Em tudo dependente de fatores externos.

Fixa-te na firmeza de nosso Redentor, e aprende dele um pouco de obediência ao Pai. Saiu ao encontro dos que iam prendê-lo, com estas palavras: "O mundo deve saber que amo o Pai e faço como o Pai me ordenou. Levantai-vos e vamos embora daqui" (Jo 14,31).

Dá-me entender, Deus meu,
a cada instante o que desejas de mim,
e ensina-me a fazer tua vontade.
Meu coração está disposto
para beber o cálice
que queiras preparar-me,
porém sou fraco
e às vezes resisto.

Ó Senhor, não quero
curar nem estar enfermo,
e sim só o que tu desejas.
Não desejo o frio nem o calor,
só o que me mandes.
Não te peço consolos nem aflições,
manda-me o que quiseres.
Não me agrada ser pobre nem ser rico,
nem talentoso nem desajeitado,
nem morrer nem estar vivo.
Só quero, meu Deus,
o que tu quiseres.

Conformidade com a vontade de Deus
Fragmentos

"Conformidade com a vontade de Deus"

Escrito testemunhal de Afonso, na medida em que coincidiu com uma enfermidade sua e com a perda de entes queridos.

O opúsculo desenvolve um dos motivos mais reiterados em suas obras, recolhendo argumentos clássicos sobre a matéria: Deus não envia diretamente os males nem os bens, mas permite, em vista de nosso bem, tanto a fortuna como a desgraça.

Não há atitudes fatalistas, nem sequer de sombria resignação, e sim uma clarividente confiança na Providência e um convite à postura ativa: "Também é vontade de Deus remediar o que esteja em nossas mãos".

José María Lorca

19. Como fazer bem o bem?

Os que vivem só na satisfação imediatista, quando agem o fazem com a intenção de contentar seus superiores, de conquistar para si honras, de ajuntar riquezas ou satisfazer caprichos.

Os amigos de Deus, ao contrário, só têm olhos para agradá-lo.

Não te contentes em fazer coisas boas, se além disso podes fazê-las com a reta intenção de agradar ao Senhor, como se disse de Jesus: "Tudo fez bem-feito".

Às vezes tomas iniciativas muito boas, mas se desvalorizam porque nelas não te entregas gratuitamente, e sim com a esperança de cobrar para ti algum prêmio.

O amor próprio, por exemplo, costuma pôr a perder a melhor parte do fruto das boas obras. Cansam-se em seu ministério os que se dedicam, e ao final nada conseguem porque não olham só para Deus, e sim mais para o êxito pessoal.

"Evitai praticar a justiça diante dos homens para serdes vistos. Do contrário não tereis recompensa do Pai, que está nos céus" (Mt 6,1).

Os que se movem só pelos impulsos de seus gostos recebem um salário que a certo ponto se desvanece como fumaça, sem deixar ao espírito nenhuma alegria nem proveito algum. Porque além disso, costuma ocorrer que, se depois de tentar não conseguem o resultado desejado, o que acontece quase sempre, inquietam-se e se deprimem.

Porém, quem age somente para agradar a Deus coloca em segundo plano o êxito pessoal. E não se perturba mesmo quando fracassa, pois sempre alcança o primeiro fim que desejava.

Se queres saber quando buscas antes de tudo fazer a vontade de Deus, atende a estes sinais:

O primeiro, se conservas a mente serena ainda que triunfes ou fracasses.

O segundo, se te alegras com o êxito alheio como se fosse o próprio.

O terceiro, se não almejas morbidamente nenhum cargo de honra.

E o quarto, uma vez realizada a ação, se não buscas a aprovação alheia nem te perturbas ao ver-te censurado, pondo tua justificação e tua alegria em havê-lo feito puramente por Deus.

Ó Senhor,
só te desejo e busco a ti.
Unicamente invejo
aqueles que me vencem
em amor por ti.
Já não quero outro gozo
que o de alegrar-te a ti.
Nada desejo mais
que a felicidade
de fazer algo por ti.

Nenhum prêmio melhor
me podem dar
que dar-te gosto a ti.
Nenhuma recompensa
que se iguale
à de agradar-te a ti.
Ó Senhor,
que tudo quanto pense,
diga ou faça se encaminhe
para dar-te glória a ti.

A prática do amor a Jesus Cristo
Capítulo 7

A originalidade

Afonso toma os elementos de sua doutrina, de seus predecessores: Felipe Néri, Francisco de Sales, Santa Teresa etc. Neste sentido, sua obra é a soma do que desde séculos se havia instalado na consciência e na devoção dos fiéis.

A originalidade consiste nesta síntese. Seu mérito é esse modo admirável de apresentar popularmente o que se vinha demonstrando como válido para a santidade dos fiéis.

Sua doutrina caracteriza-se por uma sabedoria e um sentido do justo meio, que faz dele o pensador cristão mais útil de seu tempo.

Daniel Rops

20. Da pureza de intenções

A pureza de intenção é a forma de alquimia celestial pela qual se transforma o ferro em ouro, isto é, as ações triviais tais como morrer, descansar ou comer, em atos da maior nobreza.

Conta-se de um daqueles santos solitários da antiguidade que, antes de começar a trabalhar no horto, ficava parado uns segundos com a vista ausente; e perguntado sobre o que fazia, respondeu: "Procuro não errar o golpe", querendo significar com isto que, assim como o arqueiro para acertar o alvo concentra-se preparando a flecha, do mesmo modo ele devia endereçar a Deus as intenções como o alvo de sua atividade.

Se buscas antes de tudo fazer a vontade de Deus,
— gozarás daquela liberdade de espírito que ele presenteia como herança a seus filhos.
— Esse espírito de liberdade te levará a querer o que Cristo deseja, vencendo a oposição do amor próprio.
— Superarás a dependência emocional que agora tens do doce e do amargo.
— E te aplicarás nas coisas pequenas com a mesma paz que nas maiores, e nas agradáveis como nas incômodas, já que te bastará entender que em tudo agradas igualmente a Deus.

Há aqueles que sentem impulsos de seguir a Cristo, mas, quando se trata de pôr-se a caminho, começam a impor condições, exigindo que seja em tal ofício, em tal lugar ou com tais companheiros. Desse modo, ou não o seguem ou o seguem resmungando, caso em que, longe de alcançar sua liberdade, vivem insatisfeitos, fazendo do suave jugo de Jesus uma pesada carga.

Os verdadeiros seguidores de Cristo empregam suas energias em amá-lo, tanto em ministérios honrosos como em ofícios considerados pequenos, sempre com a intenção pura e o coração livre.

Quando o Senhor deseja empregar-te em coisas de seu agrado, nem sequer a oração te deve reter. Se o amor aos outros te chama a deixar tuas costumeiras devoções, apressa a servir a Deus em teus irmãos, ainda que devas privar-te de estar em comunicação direta com ele.

Se Cristo se deu a ti sem reservar-se nada para ele, que vale o que possa pedir-te, em comparação ao que te entregou?

Coloco-me em tuas mãos.
Escolhe o momento,
o lugar e o modo
como devo agradar-te.
Para agradar-te, aceito
o que queiras mandar-me:
enfermidade, dor,
pobreza, humilhações,
e até a própria morte
para melhor servir-te.

Ao contrário, só peço
o dom de fazer
as menores coisas
com a pura intenção
de agradar-te.
Se por completo
te entregaste a mim,
como é justo que eu use
de reserva contigo?

A prática do amor a Jesus Cristo
Capítulo 7

Espiritualidade de seguimento

O projeto espiritual de Afonso aparece como nitidamente evangélico: Tem uma inconfundível tonalidade bíblica neotestamentária e situa-se no coração da espiritualidade evangélica que é o seguimento de Jesus.

O "distanciamento das criaturas" não é nele um programa estóico, nem respira a desprezo da realidade. É a concretização histórica do "deixar tudo" para ir atrás de Jesus.

Na mente de Afonso a "união com Deus" transforma-se em um "seguir a Cristo", evitando assim uma consideração deística da espiritualidade. Um tom cristocêntrico invade todo o conjunto.

Marciano Vidal

21. A oração de confiança

Muitos se perturbam e perguntam inquietos se seu nome estará escrito no livro da vida... Vã preocupação é esta, pois São Paulo escreve: "Não vos inquieteis por coisa alguma, mas apresentai a Deus as súplicas por meio da oração e da ação de graças".

Por que inquietar-se com estúpidos temores e inúteis angústias? Deixai o medo que não serve senão para levar à desconfiança, e agradecei a Deus suas promessas e dons.

Pobres somos, mas com a oração podemos remediar-nos, já que Deus é rico e generoso com aqueles que o invocam. Com razão Santo Agostinho nos exorta a confiar nele, e a não lhe pedir coisas mesquinhas, mas coisas muito grandes e elevadas, porque assim honramos sua misericórdia e liberalidade... A um rei não se lhe pedem alguns miseráveis centavos...

Aquele que ora, enquanto o faz, já está alcançando o melhor que pedir, pois a própria oração já é um singular dom do Senhor.

Deus acolhe bondosamente as orações de seus servos, mas só daqueles que se mostram pobres, como diz o salmista: "Olha o Senhor a oração do humilde". Por isso não atende a oração do soberbo que confia em suas próprias forças; ao contrário, deixa-o com a fragilidade de seu poder, e às vezes, até permite sua queda, para que como Davi confie nele finalmente: "Antes que fosse humilhado, sucumbi".

Suspensos sobre profundo abismo, sustenta-nos o fio da graça de Deus. Se se corta o fio, caímos no abismo.

Como o filhote da andorinha não faz mais que piar continuamente, reclamando de sua mãe o alimento necessário, assim também nós, se queremos conservar a vida e o amor de Deus.

O motivo por que essa confiança agrada tanto ao Senhor é que desse modo estamos honrando sua bondade, sobretudo aquela que ele demonstrou quando nos deu a vida.

Elogiando aqueles que confiam, Isaías diz que os que põem sua esperança em Deus adquirem novas forças, como a da águia, para voar sem fatigar-se. Já não serão fracos, porque Deus lhes infunde sua energia, nem sentirão fadiga no caminho. No vigor de Deus se fortalecem. Descansam em seus braços amorosamente, e não confiam nos meios humanos mais que no grande meio da oração.

Senhor,
quando minha alma estiver adormecida
para os dons eternos,
desperta-me o desejo de teu amor.
Quando meu coração for prisioneiro
de afeições mesquinhas,
levanta-me a ti.
Quando eu estiver possuído pelo orgulho
ou pelo amor próprio desordenado,
dá-me o conhecimento
de minha grande pobreza.

Em lugar de êxtases ou arrebatamentos
põe em minha oração a confiança
simples do necessitado.
Em vez de união das potências
dá-me a graça de não pensar,
buscar nem desejar
senão o que seja
de teu divino agrado.

A oração - O grande meio...
Capítulo 3

"A oração - O grande meio..."

Sobre este livro escreveu o próprio Afonso:

"Várias são as obras que trouxe à luz do público, mas tenho para mim que não escrevi até agora nada mais útil que este livro que vem tratar da oração. Porque creio que é o meio mais seguro para alcançar os dons de Deus.

Se me fosse possível, quisera lançar ao mundo tantos exemplares desta obra quantas são os cristãos que na terra vivem. A todos prazerosamente presenteá-la, para ver se, por fim, chegariam a entender a necessidade da oração.

De que servem palavras, meditações, conselhos e leituras, sem a força que Deus só concede através da comunicação e da união íntima com ele?"

Prólogo de Santo Afonso
ao livro "A oração - O grande meio..."

22. Deus está sempre a teu lado

Aproximar-se do Senhor timidamente, ou tremendo de vergonha ou de medo, é algo inconcebível. Mas ainda mais inconcebível é pensar que conversar com ele causa aborrecimento.

Muito pelo contrário, se perguntares aos que o amam, eles te dirão que nada há tão agradável como dialogar com Deus continuamente.

Este contínuo trato familiar com Deus não exige de ti que fiques obcecado com seu pensamento até o ponto de ter de abandonar seus deveres, ou de dedicar à oração todo o tempo de seu descanso. O que pede o Senhor é ser em teu coração uma presença viva, como são para ti as pessoas que amas.

Para isso não é preciso um esforço especial, pois Deus se encontra sempre ao teu lado; ou melhor dizendo, dentro de ti mesmo: "É nele que vivemos, nos movemos e existimos" (At 17,28).

Desse modo suprimiu todos os obstáculos que pudessem existir para que te aproximasses para dialogar com ele.

Fala-lhe dos trabalhos que tens nas mãos, e das ilusões que alimentas. Confia-lhe teus sofrimentos e temores, e comunica-lhe o que agora mesmo te preocupa tanto. Mas, em especial, não te esqueças de fazer isso com atitude humilde, sincera, confiante, e sem desanimar. Com a naturalidade e o carinho com que alguém se aproxima de seu melhor amigo.

Verdade é que Deus merece um grande respeito; mas quando te concede o dom de viver sua presença, é porque ele se antecipou em criar um clima de liberdade e confiança.

Ele próprio adianta-se trazendo as mãos carregadas de dons e de misericórdia. E só espera que te decidas a comunicar-lhe tua necessidade.

Os amigos juntam-se com frequência, mas também há momentos em que têm de separar-se. Entre Deus e nós não existe essa distância: "Ele te encontrará dormindo e em paz repousarás, pois o Senhor está a teu lado" (cf. Pr 3,24).

Com efeito, quanto te entregas ao descanso, ele vela junto a tua cabeceira. Se te despertas pela noite e diriges a ele teu pensamento, sentirás que te responde através de suas inspirações. Até em sonhos pode comunicar-te seus desejos, demonstrando-te assim que nem sequer quando dormes te deixa.

A teu lado o terás também pela manhã para receber teus primeiros sentimentos de afeto; para ser o primeiro confidente de teus segredos e o depositário dos projetos que tens para esse dia.

Ao despertar e entender que Deus está a teu lado não te levantarás contente? Não lhe dirigirás um primeiro olhar de amor e confiança? Não recordarás nesse instante o mandato que diz: "Amarás o Senhor teu Deus com todo o teu coração"?

*Meus amigos, Senhor,
não podem consolar-me,
nem eu quero
mendigar sua ajuda,
pois os homens
só têm palavras.
Por isso venho a ti,
e em meu sofrimento te digo
que me dês fortaleza
para poder carregá-lo.
Não te afastes de mim,
pois uno meu lamento
ao de Jesus Cristo
pedindo-te que nunca
me abandones.*

*Em tua promessa descansarei, Senhor,
porque tu confirmas minha esperança.
Bendigo-te e te bendirei
na lembrança
de tantos benefícios,
e com sincero amor
te renovo meu agradecimento.*

O trato familiar com Deus
Capítulo 2

"O trato familiar com Deus"

"O trato familiar com Deus" marca uma linha de destaque nos grandes temas alfonsianos: O amor a Cristo e a comunicação íntima com o Pai. É de muito sólido seu conteúdo e uma das melhores obras do ponto de vista literário.

Com naturalidade, propriedade e uma exuberante espontaneidade de ideias, falam-nos sua boca e seu coração. É uma luta com a linguagem para levar com pura transparência às pessoas simples o mais elevado do mistério.

Para isso, vale-se de imagens, comparações, textos e exemplos tirados da própria vida. O contato com a natureza abre um novo caminho para comunicar-se pela oração. O campo, a montanha, o litoral e o céu napolitano estão esperando que um coração revele a presença amiga do Criador.

Antonio Río Riesco

23. Fala-lhe como a uma mãe

O respeito que se deve a Deus não pode ser desculpa para falar sem franqueza com ele, já que tão grande é sua bondade, menos como sua majestade. E ele não se ofende, antes se alegra, em que o trates com suprema liberdade e ternura.

"Como uma mãe consola um menino, assim eu vos consolarei", disse o Senhor por meio de Isaías (Is 66,13).

O mesmo prazer que a mãe sente acolhendo o filho em seu colo, e cobrindo-o de beijos e carícias, assim é a ternura de Deus para os que se entregam a ele.

Não pode haver amigo, pai, irmão ou amante que se esforcem mais que Deus imaginando maneiras de amar.

Pelo dom de sua graça levanta-nos da condição de escravos à de filhos.

E para inspirar-nos ainda mais confiança, põe-se a nossa altura nascendo como menino indefeso, morrendo com o estigma de um condenado, e deixando-se como perpétuo companheiro no pão eucarístico.

Para que a confiança em Deus enraíze mais em ti recorda, além do mais, os meios que ele empregou para fazer-te retornar dos maus caminhos por onde andavas. E lembra, também, o modo como te livraste de paixões que te aprisionavam e te tornavam triste.

Então compreenderás que o único temor que, ao conversar com Deus, poderias ter, principalmente depois de haver-te decidido amá-lo, seria o de falar-lhe com pouca confiança. Pois isso equivaleria a subestimar os dons e misericórdias que ele te oferece.

Se o Senhor te traz gravado nas linhas de suas mãos, como por meio de Isaías disse, como podes conservar algum temor? Também quando te acusa a consciência, o Senhor é quem toma para si tua defesa, e te põe sob sua custódia. Pensando nisso Davi enchia-se de júbilo e dizia: "Tu, Senhor, abençoas o justo, e teu favor protege-o como um escudo" (Sl 5,13).

Deus pôs seu céu, por assim dizer, dentro do coração do homem. Por isso Jó ficava assombrado ao pensar na solicitude exagerada que lhe dispensavas, e dizia: "Que é o homem para que lhe faças tanto caso, ou para que se ocupe dele teu coração?"

Fala-lhe, pois, como os filhos falam com suas mães. Permanece a seu lado todo o tempo que puderes. E adquire o costume de conversar com ele intimamente, de modo familiar, assim como o amigo leal e agradecido conversa com seu amigo.

Senhor, por que me amas assim?
Que encontraste em mim
que te cativou?
Esqueceste as traições e ofensas
com que te aborreci?

De agora em diante
não poderei causar-te dano,
pois compreendo
que és meu escudo
e minha defesa.
Alenta-me o pensar
que "não desprezas
o coração contrito e humilhado".
Anima-me a confiar sem limite
saber que nem a teu Filho
perdoaste para salvar-me a mim.
Deixa-me dizer-te,
com o mesmo afeto,
que hoje me entrego
completamente a ti.

O trato familiar com Deus
Capítulo 1

"Teu gosto"

Não é meu gosto, mas o teu,
o que busco em ti, Deus meu.
Só quero, meu Senhor,
o que quiser tua bondade.
Tu mereces todo amor,
ó divina vontade.
Em tuas mãos abandono
quanto sou e quanto tenho,
pois dás vida ao afeto
e fazes o amor total.
Tu mereces todo amor,
ó divina vontade.
Mudas nossa cruz em sorte
e fazes doce até a morte.
Não há dores nem temores
para quem contigo está.
Tu mereces todo amor,
ó divina vontade.

Canções espirituais

24. Nas dores e nas alegrias

Quando te vires abatido por um peso qualquer, pede ao Senhor que te lance sua poderosa mão. Bastará que lhe mostres a cruz, que não deixará de consolar-te, ou pelo menos, te dará forças para carregá-la, o que, às vezes, pode resultar num maior bem que se te livrasse da cruz.

Se algum pensamento te tortura ou a melancolia se apodera de ti, diz-lhe que te tire da tribulação ou que te dê energia para suportá-la. Tem por certo que ele não há de faltar a sua promessa: "Venham a mim todos vós, fatigados e sobrecarregados, e eu vos aliviarei" (Mt 11,28).

Não se ofende o Senhor quando tens problemas e buscas solução nos amigos. A única coisa que ele quer é ser teu protetor por primeiro.

Haverás de convencer-te quando inutilmente tiveres recorrido aos outros em busca de um consolo que não puderam ou não te quiseram dar.

Não temas desagradar-lhe se alguma vez, no limite do sofrimento, te queixas amorosamente com as mesmas palavras de Jesus: "Deus meu, por que me abandonaste?".

Mas no fundo dessa tribulação hás de ter coragem para repetir também: "O Senhor é minha luz e minha salvação: a quem temerei?" (Sl 26,1). E então permanece tranquilo, seguro de que "ninguém que confiou no Senhor ficou abandonado" (cf. Eclo 2,2).

O apóstolo São Pedro também nos aconselha que em toda preocupação, seja material ou espiritual, confiemos na bondade de Deus, que com tanta coragem tomou nossa salvação: "Descarregai em seu amoroso seio todos os vossos cuidados, porque ele se ocupa de nós" (1Pd 5,7). Tanto assim que quando sentires o ânimo abatido, pensa que podes descansar nele.

Mas não serás tu daqueles que só se lembram de Deus quando gemem sob a desgraça, e se esquecem dele quando a vida lhes sorri?

Corre a comunicar-lhe também tuas alegrias como dons que são de sua pródiga mão.

Alegra-te em tua felicidade, pois sendo Deus sua fonte e origem, nele gozarás e te consolarás com louvores e ação de graças. Diz-lhe com o profeta: "Eu, porém, me alegrarei no Senhor, exultarei no Deus de minha salvação" (Hab 3,18).

Porque se de verdade o amas, tu te alegrarás na felicidade dele mais que na tua, assim como um amigo se alegra com os bens do outro como se fossem seus.

Consola-te, pois, pensando que teu Deus é ditoso e derrama sobre ti algo de sua infinita felicidade. E diz-lhe então que te alegras por seu bem mais que por todos os teus, posto que o amas acima de ti mesmo.

*Senhor, sei que minha conversa,
ainda que monótona, insistente e pobre,
não te aborrece nem enjoa,
como acontece comigo
e as pessoas importantes
a quem me dirijo.
É porque te quero tanto,
que sempre tenho
algo para te contar.*

*Não te posso falar
de missões decisivas,
mas te conto meus pequenos segredos,
e as coisas mais íntimas
ainda que insignificantes.
Sei que me escutas,
pois me amas do fundo do coração,
e te preocupo tanto
como se só em mim
tivesses de pensar.*

O trato familiar com Deus
Capítulo 3

Uma espiritualidade prática

Por temperamento e por formação, preferentemente jurídica, Afonso inclina-se para a praticidade... O termo "prática" aparece em vários títulos de suas obras.

A prática alfonsiana está ligada à orientação popular de seus escritos. Neste sentido prático de sua espiritualidade confluem dois dinamismos: o de escuta e atenção aos interesses do povo, e o de aplicação às situações concretas em que se realiza a vida cristã.

Esta característica pode ser considerada hoje como "não atual". Mas, de qualquer forma, é um contraponto a apresentações etéreas, diluídas e de produção puramente teórica.

Marciano Vidal

25. Que saudável é a meditação

Meditamos para unir-nos com Deus intimamente através dos sentimentos positivos e dos afetos do coração. Na meditação defrontamo-nos com a precariedade das coisas e com a nossa própria verdade.

Fazemos oração contemplativa para alcançar a luz divina que guia nossos passos por caminhos de luz, de amor e de segurança. Na meditação aprendemos a distinguir o importante do secundário.

Mas, acima de tudo, exercitamo-nos neste modo de oração porque na comunhão com Deus, produzida pela meditação, ele se mostra mais inclinado a dar-nos seus favores.

A verdade de Deus e sua ação em nós não se costuma perceber com um olhar superficial e irrefletido. A imensidade de Deus para a qual caminhamos transmite-nos valor para viver e até para morrer; porém, este é um pensamento grave que assusta aqueles que estão aqui como se jamais a ninguém tivessem de prestar contas.

Dizia Santo Agostinho que quem caminha para a eternidade sem afastar o mal de sua conduta, é porque perdeu o coração e o juízo. Ao contrário, quem pensa em si caminhando para Deus, não só vê as coisas daqui da terra como se fossem palha, mas vê também que seguir livre de todo o apego lhe transmite alegria, desejo de Deus e magnanimidade com os outros.

Como é saudável a meditação, e como é necessária para aumentar o entendimento, para se tomar consciência dos próprios defeitos e para alcançar a perseverança na virtude. A alma que medita "é como a árvore plantada à beira das águas correntes" (Sl 1,3) que cresce e a seu tempo produz fruto maduro.

Disse a Esposa do Cântico dos Cânticos que o Esposo "a levou à adega do amor". Esse lugar do vinho é a contemplação na qual, de tal modo se embriaga a alma no amor a Deus, que perde a atração pelas coisas e inclusive a consciência de si mesma. E assim, tão íntima de Deus, não vê senão pelos olhos do seu Amado.

Mas não deixes a meditação, mesmo quando nela só sentes desolação. Não há melhor oportunidade para conheceres tua pobreza, que quando na oração te sentires entediado e desprovido de sensível fervor.

Nesse caso, diz ao Senhor: "Tem compaixão de mim, Senhor; mas se desejas que eu viva sempre nesse estado, cumpra-se tua santa vontade. Não te peço consolos, pois basta-me saber que mesmo nesse estado posso agradar-te".

O maior perigo da meditação não está na aridez do coração, mas nas tentações de desconfiança.

*P*erdoa, Senhor meu, esta preguiça.
Quantos dons desperdiçados
por evitar encontrar-me contigo
frente a frente na meditação...
Não pretendo que me dês consolos.
Basta-me que me admitas
em tua presença com meus pobres frutos.

Como posso pretender unir-me
e abraçar-me a ti, quando mereço
a desgraça de não ter direito
de amar-te?
Se queres negar-me tuas carícias,
não me queixarei.
Se queres mergulhar-me em aflições,
aceitarei com gosto teu desejo.
Só te peço a perseverança para estar junto a ti
em tempos de fortuna e de tristeza.

Reflexões devotas
Fragmentos

"Reflexões devotas"

Santo Afonso comparava esta obra com a "Imitação de Cristo" e, com efeito, esta transborda a mesma piedade e a mesma unção. Não se propõe nesta obra uma ordem metódica nem rigorosa, mas apenas apresenta quarenta e cinco "reflexões para guiar as almas que desejam progredir no amor".

As considerações dessas reflexões devotas vem sempre embalsamadas com perfumes de paz, de alegria, de recolhimento interior, que suavizam o coração, cicatrizam as feridas produzidas pelo afã do dia a dia, e suavizam as amarguras.

Numa carta Afonso conta que lia todo dia algo desse livro, expressando o quanto este significa para ele.

Tomás Ramos

26. O deserto está no coração

Afastar-se do barulho para melhor falar com Deus não causa tédio, é sim muito gratificante e necessário.

A solidão só assusta aqueles que vivem angustiados pela consciência ou torturados pelas preocupações. Por isso procuram estar rodeados de gente agitada, embora sem comprometer-se jamais com uma convivência tranquila e sincera.

Ao contrário, aqueles para quem Deus conta sentem prazer no trato com as pessoas que os acompanham, mas mais ainda na companhia de Deus que, como um bom amigo, diverte e anima.

Na solidão, livre de ruídos e conversas vãs, ele sai ao teu encontro e te fala; e assim estarás mais perto para ouvir o que ele te diz. Por isso assegurava São Bernardo que nunca estava menos só que quando estava só.

Quis Jesus que seus discípulos suspendessem de vez em quando o ministério de anunciar a fé, e se retirassem para lugares afastados: "Vinde comigo a um lugar solitário, e ali repousaremos" (Mc 6,31).

Parece necessário, pois, que de vez em quando te ausentes das ocupações, para refazer tuas forças e reforçar a união com Deus.

Houve uma multidão de santos solitários que

marcharam para os desertos, recolhendo-se em grutas e paragens silvestres. Levaram a sério a palavra de Deus que diz: "Eu mesmo a seduzirei, conduzirei ao deserto e lhe falarei ao coração" (Os 2,16).

O Senhor também se revelou assim a Santa Teresa: "Filha, a muitos eu falaria, mas há tanto ruído nos seus ouvidos, que eles não podem escutar minha voz".

A solidão é o clima que Deus escolhe para falar à alma com franqueza, sussurrando-lhe vozes que conseguem acalmá-la. Quem busca a solidão e sabe aproveitá-la sente fluir em seu coração esse bem superior que não se adquire em tantos afãs que nos roubam a paz em troca de algumas vantagens exteriores.

Mas de nada serve isolar-se fisicamente, se falta a solidão interior. O deserto que Deus escolhe para comunicar-se é o de um coração que se faz livre para amar.

Tu bem quiseras retirar-te ao campo para descansar, e tratar ali a sós teus assuntos com Deus. Mas não podes, pois precisas permanecer na cidade em meio ao tráfego das ruas, agitado pelas tensões da jornada diária. Podes conservar a paz da mente e a união com Deus tu que és obrigado a acostumar-te no dia a dia com a sociedade em que vives?

Sem dúvida que sim. Basta que renuncies a toda dependência e, comprometido com Deus, te abraces a ele sem importar-te com o que se passa lá fora.

Pobre de mim, Senhor,
que muitos anos andei distraído
mendigando prazeres e satisfações,
pensando unicamente
nos bens da terra
e, para ganhar o êxito,
deixei que se perdesse tua amizade.

Fora de ti, Deus meu,
nada há que satisfaça meu desejo.
Nem na solidão nem acompanhado
quero coisa alguma além de ti.
Toma a parte de meu coração
que outrora ocuparam
os seres deste mundo.
Desterra de minha alma
qualquer sombra de afeto
que também me separe
de teu grande amor.

Reflexões devotas
Números 31, 32 e 40

Orar para proveito comum

Vós sois pessoas de oração, posto que a fazeis três vezes ao dia; mas, a qual destas três classes pertenceis?

Alguns se parecem com as moscas, que vão de cá para lá sobre as flores do jardim.

Outros, com as cantáridas que se arrojam sobre a rosa tomando todo o seu alimento só para si.

E outros, com as abelhas que sugam o néctar para levá-lo à colmeia.

Assemelhai-vos às abelhas levando aos outros a oração e seus frutos, pois fomos escolhidos por Deus não só para nosso proveito, mas para a santificação de todos.

De uma carta

27. A leitura espiritual

Tão necessária para a vida do espírito como a oração é a leitura espiritual, porque ela nos enche de bons sentimentos e nos introduz no diálogo com Deus. Além disso, nem sempre se dispõe de um acompanhante para nos orientar, e nesse caso pode ajudar-nos a leitura, fornecendo luzes e indicando caminhos.

Assim se explica que todos os fundadores tenham recomendado tanto esse exercício. E, antes deles, havia prescrito isso São Paulo a Timóteo: "Aplica-te à leitura" (1Tm 4,13).

Em todos os livros de formação encontram-se pensamentos úteis, mas são preferíveis aqueles que conduzem diretamente ao diálogo e à união com Deus.

São Jerônimo conta que em certo período de sua vida chegou a preferir os bons escritos de Cícero às Sagradas Escrituras, até que em uma enfermidade compreendeu que a Palavra de Deus lhe era muito mais útil.

A leitura oferece a janela da reflexão. Neste sentido explicava São Bernardo a passagem evangélica "buscai e achareis": Buscai lendo, e meditando encontrareis o alimento da alma.

A leitura te possibilita o conhecimento de ti mesmo. Por isso também São Jerônimo recomendava a um amigo: "Que a leitura te sirva como espelho", querendo dizer que assim como o espelho te mostra o rosto, a leitura te situa diante de sua consciência.

Na leitura há também chamadas de Deus, conforme adverte Santo Ambrósio: "Quando oras estás falando com Deus e, quando lês, é Deus que te fala".

Para Santo Agostinho os bons livros são como cartas amorosas de Deus. E bem conhecido é que sua conversão lhe veio através de uma carta de São Paulo.

Para o proveito de teu espírito não escolhas livros demasiado difíceis. Lê preferentemente o testemunho dos santos. Porque a teoria te instrui sobre como seguir a Jesus Cristo, mas o exemplo de uma vida é o próprio seguimento posto em prática.

Não orientes a leitura espiritual para adquirir ciência ou para saciar a curiosidade. Ler para instruir-se sobre uma matéria é uma atividade intelectual que pouco tem a ver com essa particular unção que a leitura espiritual deve comunicar.

Trata-se de uma forma de oração. Daí a conveniência de pôr-se sempre, antes de começá-la, em atitude atenta e receptiva: "Fala, Senhor, que teu servo escuta" (1Sm 3,10).

*Graças te dou, Deus meu,
pelo alimento dos livros
nos quais me inspiras
os modos de unir-me mais a ti.
Graças porque penetras meu coração
com esses pensamentos
e testemunhos neles referidos.
Graças pelas decisões,
súplicas e desejos
com que elevam minha alma.*

*Quisera ser como a abelha
que pousa na flor
de cada livro,
até tirar dele todo o proveito.
Quero que a leitura
me abra sempre à oração,
e quero dizer-te sempre:
"Fala, Senhor, que teu servo escuta".*

A verdadeira esposa de Jesus Cristo
Capítulo 17

Mais livros e menos instrução

Ninguém pode acusar Afonso de desengajamento cultural, ao contrário. Alguns dados: É o único doutor da Igreja do século XVIII; publicou mais de cem obras, entre outras a ingente "Teologia Moral", mas também uma singela gramática da língua italiana.

Afonso tem conhecimentos sólidos de matemática, arquitetura e astronomia. Desenha ele mesmo as casas da Congregação e deixa pintada nelas uma esfera.

É o santo que se atreve a pôr a cultura acima da mortificação. A algumas monjas que lhe pedem instrumentos de penitência, responde:

"Que penitência nem cilícios? Mando-lhes um bom lote de livros que as ajudará mais que as penitências".

Manuel Gómez Ríos

28. Sua marca está na criação

Se queres viver em perfeita contemplação e união com Deus, procura elevar a ele teus pensamentos pela observação da natureza.

Quando, por exemplo, vires correr a água, pensa na condição peregrinante da vida, aproximando-se de sua meta pouco a pouco.

Se contemplas uma luz a ponto de apagar-se, pensa que assim se consomem na presença de Deus os que lhe servem.

Se vês os famosos envaidecerem-se por seu poder ou por sua popularidade, sorri e alegra-te de que a ti Deus te baste.

Diante da diferença que existe entre o mar sossegado e o agitado por uma tempestade, aprecia a vantagem dos pacíficos diante dos violentos.

Quando vires uma árvore que seca, pensa que isso e não mais que isso é a alma sem a vida de Deus.

Diante dos grandes rios e dos pequenos riachos, pensa que, assim como as águas tendem para seu destino, deves também tender para o Senhor.

Quando te admiras da fidelidade de um cãozinho a seu dono, pensa que muito mais leal deverias ser a teu Criador que, além de conservar-te a vida, provê tuas necessidades e te cumula de dons.

Quando escutares o canto dos pássaros, diz a teu coração: Não vês como essas criaturas voam para o Senhor? E tu, que fazes para cantar seus louvores?

Se é o canto dos galos que chega aos teus ouvidos, lembre-se que, a exemplo de São Pedro, também negaste a Jesus Cristo. E aproveita a ocasião para limpar a consciência com atos de arrependimento.

Se sais a passeio para a montanha, e olhas para os profundos vales fertilizados pelas neves que nos altos cumes se desfazem, pensa na generosidade divina deslizando seus dons nas almas humildes.

Se visitas um templo adornado com carinho e bom gosto, tem por certo que maior é a beleza das almas na graça, que elas são os verdadeiros templos do Espírito.

Se uma tarde te sentas na praia para contemplar a imensidão do oceano, medita ao mesmo tempo na grandeza e imensidade de Deus.

E se, ao chegar a noite, ergues os olhos até o céu estrelado, pensa no dia em que teus pés pisarem aqueles astros.

Em cada momento tem presente que toda a formosura que o Senhor criou, o fez para que o amasses.

*Senhor,
toda a criação me convida
a louvar-te e a reconhecer-te
como a bondade
e como a beleza.
Tu me falas
através das coisas
com palavras que entendo
claramente.*

*Permite que te cante
com a língua do mar
e dos rios,
dos vales, dos montes
e das árvores.
Deixa-me dizer-te
com as criaturas
do céu e da terra:
Senhor, aqui me tens.
Faz de mim o que desejares.
Dá-me a entender
como devo agradar-te,
que a tudo estou disposto
para dar-te glória.*

O trato familiar com Deus
Capítulo 4

Escritor da vida e para a vida

Afonso escreve a partir do Evangelho que vive. Suas obras, se julgadas demasiado criticamente, perdem seu enfoque principal. Ele não escreveu para a crítica. Escrevia para ser lido por quem não sabia ler, para o povo de seu tempo. Essa é sua força e sua fragilidade.

Seus escritos podem ser ainda hoje guia para quem busca o testemunho de um santo. Os livros sobre a Paixão devem ser entendidos a partir do genuflexório em que foram redigidos, por assim dizer.

E apesar de a teologia ter evoluído, a "teologia afetiva" que podemos encontrar em Afonso tem muito a dizer hoje em dia.

Noel Londoño

29. A criação, um caminho de amor

Quando observares o campo com suas flores e frutos, e suas cores e perfumes embriagarem teus sentidos, olha a Criação como um presente de apaixonado que Deus te oferece. Imagina então como será a felicidade que no céu está preparada para ti.

"O céu e a terra — exclama Santo Agostinho — gritam-me para que eu ame a ti, Deus meu."

Santa Maria M. de Pazzi costumava tomar na mão uma flor ou uma fruta e dizer: "Desde a eternidade Deus decidiu criá-la para dar-me uma prova do amor que tem por mim".

Todos os seres da Criação e todas as invenções do homem podem ser um caminho de amor.

E por isso, quando vires uma gruta, um presépio ou um pouco de palha, lembra-te de Cristo nascido no estábulo em Belém.

E quando usares a mesa, as cadeiras ou qualquer objeto de carpintaria, pensa no jovem Jesus operário em Nazaré.

E se vires espinhos, cravos, cordas, traze a teu pensamento a paixão e morte de teu Redentor.

Até a observação dos seres irracionais pode ser um caminho para agradar a Deus.

Quando São Francisco via um cordeiro, comovia-se com este pensamento: "Jesus Cristo foi conduzido como um cordeiro para morrer por mim".

A venerável Serafina de Capri, ao pensar um dia que a mula do mosteiro não estava capacitada para amar a Deus, cheia de compaixão, lhe disse: "Pobre animalzinho que não sabes nem podes amar a teu Criador!". E dizem que o animal se pôs a derramar copiosas lágrimas.

Se queres, pois, agradar ao Senhor, eleva-te até ele a partir de qualquer experiência dos sentidos. Mas, além disso, consagra-lhe os principais momentos do teu dia, em especial ao levantar-te e antes de deitar-te.

Procura fazer meia hora de meditação sobre o mistério da Redenção. Isso servirá para conservar-te o fervor durante o teu dia.

Antes de começar o trabalho, não te esqueças de pedir ajuda para fazê-lo bem.

Ao sair de tua casa, encomenda-te sempre à Virgem Maria.

Ao sentar-te à mesa para a comida, dá graças pelo alimento e por todos os bens.

Não deixes de fazer alguns minutos de leitura e de visitar o Santíssimo Sacramento.

E ao retirar-te para descansar, podes fazer exame de consciência e dormir em paz com a oração: "Em paz me deito e logo adormeço, porque só tu, Senhor, me fazes viver em segurança" (Sl 4,9).

Como és generoso, ó Senhor,
para os que te buscam.
Fazes-te encontrar
nos detalhes
com que adornaste
toda a Criação.
Com que prazer te deixas
encontrar nesses sinais
que são as criaturas.

Em ti ponho
meu amor e minha alegria.
Todas as minhas complacências
ponho em ti.
És o objeto e único fim
de todas as minhas ações,
até que este desejo
de encontrar-te totalmente
se cumpra.
Entretanto, Senhor,
vem em minha ajuda.
Enquanto procuro por ti
toma-me e não me deixes
nas mãos de meu próprio conselho.

O trato familiar com Deus
Capítulo 4

"Selva escura"

*Selva escura e espessa
que a alma surpreendes,
ouve o pranto incansável
pelo Bem desejado
que perdi no caminho,
e apieda-te de mim.
Onde estás?
Por onde tens andado,
Bem meu?
Distanciando-me
fiquei desolado,
porque me faltas tu.
Onde ficou aquele tempo
quando me consolavas
e a ti me atraías
com imantado amor?
Onde os dias felizes
quando peregrinava
cantando com o doce
e insaciável desejo
de amar-te mais e mais?
Aquela paz amiga
transformou-se para mim
em aflição,
e hoje caminho sem ver-te,
com o medo nos olhos
onde quer que olhe;
sem que nada nem ninguém
me ofereça descanso.*

*Até a esquiva morte
mostra-se desapiedada
ao negar-me seu abrigo.
Fugir quisera... mas
onde, se com tua ausência
tuas cadeias me seguem?
Torna em celeste luz
a tempestade funesta.
Devolve-me a vida,
sê minha cura.
Tu que me feriste o peito
e depois me deixaste
viver sem coração.
Ainda que não mereça
perdão nem compaixão,
compreende que sou teu
e sempre o serei.
Ao ver-me, reconheço
teus motivos de fugir de mim,
contudo te quero,
e quanto mais te afastares
mais te perseguirei.*

Canções espirituais

30. A visita a Cristo Eucaristia

Uma vez disse o Senhor pelo seu profeta que "em estar com os homens acha suas delícias", pois não sabe deixar-nos, ainda que por nós se veja abandonado.

Isso pode fazer-te compreender até que ponto alegram a Jesus aqueles que o visitam com frequência e se dedicam a fazer-lhe companhia nas igrejas em que ele permanece.

Conta-se do bom rei São Venceslau que, inclusive nas noites de inverno, saía para visitar as igrejas que abrigavam o Santo Sacramento, e era tal o fogo do amor que nesses colóquios se lhe comunicava, que seu corpo até emanava calor. E contam que, padecendo muito frio por andar sobre a neve, aconselhou ao seu criado que o acompanhava, que fosse atrás dele, pondo os pés sobre suas pegadas; assim o criado não sentiu mais frio.

Verdadeiramente nesta terra não há para aquele que crê mais pura alegria que a devoção de estar junto de Jesus. Por isso, afasta-te alguns instantes por dia dos afazeres e das pessoas, e dedica ao menos um quarto de hora para visitar Cristo em uma igreja.

Perguntas o que se faz ou se deixa de fazer na presença de Cristo; porém, digo: e que espécie de bem se deixa de fazer? Na sua presença se agradece, se ama, se bendiz e se sente a realidade da própria indigência.

Que faz um pobre na presença de quem pode ajudá-lo? Que faz um enfermo diante de um médico? Um sedento encontrando uma fonte cristalina? Um amigo na presença de um amigo?

"Experimentai e vede que bom é o Senhor." Faz a prova e verás que grande proveito obténs. Não empregarás mais utilmente o tempo, nem exercício algum de piedade te proporcionará maior consolo.

É certo que Deus está contigo em todos os lugares em que te encontres, porém te dispensará melhor seus dons quando o visitares, toda vez que teu gesto de aproximar-te dele for um reconhecimento ao seu de ficar contigo.

Que prazer permanecer com fé e ternura diante do altar, falando familiarmente com Cristo, ou talvez sem falar outra linguagem senão a da confiança!... E principalmente, haverá ventura maior que a de mergulhar no amor humilde daquele que, por amor, vive oculto e ignorado no pão, e não obstante contente, pois encontra sua delícia em estar conosco?

Mas, já basta de palavras. "Experimentai-o e vereis".

*Senhor Jesus,
pelo amor que tens
aos homens,
noite e dia chamas e recebes
aos que te visitam.
Eu te adoro
do abismo de meu nada.
Agradeço-te
o favor de haver-me dado
tua pessoa neste sacramento
e a oportunidade
de poder visitar-te.*

*Saúdo-te, Senhor,
por três motivos:
O primeiro, em agradecimento
por este dom precioso.
O segundo, para compensar-te
das desatenções que recebes,
e o terceiro,
porque, com este encontro,
te desejo adorar
em todas as igrejas
onde esperas
que também te visitem.*

Visitas ao Santíssimo Sacramento
Introdução

"As Visitas ao Santíssimo"

"Visitas" é um livro de oração acessível e fervorosa "escrito com simplicidade e sem floreios — dizia Afonso —, para uso dos noviços da congregação quando, segundo o costume, deviam visitar a Cristo na eucaristia".

O livro das Visitas consagrou todo um modo de dialogar com o Ressuscitado no profundo silêncio da intimidade. Significou uma ruptura com a imagem de um Cristo distante e frio favorecida pelo jansenismo.

Sua importância é avaliada pela grande difusão que teve posteriormente, só comparável à *Imitação de Cristo*, de Tomás de Kempis, no que se refere aos livros de piedade. Atualmente contam-se mais de 2.100 edições.

Manuel Gómez Ríos

31. A alegria de tê-lo escolhido

A paz de espírito é um bem que vale mais que todos os reinos da terra. Este é o dom que Jesus prometeu ao dizer que quem escolhe ser pobre, renunciando ao que possui por causa de seu nome, receberá cem vezes mais (Mt 19,29).

De que adianta qualquer poder ou domínio sobre os outros, se falta a paz de uma boa consciência?

Preferível é a alegre austeridade do humilde lavrador, a essa eterna angústia do poderoso, sempre amarrado a seus muitos bens.

Quem senão Deus pode outorgar a paz? Por isso Paulo chama o Senhor "Deus de todo consolo", e a Igreja lhe pede: "Dá a teus servos a paz que o mundo não lhes pode dar".

Ensina a experiência que um seguidor de Cristo goza de maior serenidade e alegria que aquele que desfruta de honras e prazeres. Porque o coração, criado para um bem infinito, não pode ser feliz aspirando só ao que é perecível.

"Põe tuas delícias no Senhor, e ele realizará os desejos de teu coração" (Sl 36,4).

"Que outros ambicionem o poder e o dinheiro — exclama São Paulino —, minha única coroa é Cristo."

Como nesciamente se instalam alguns em faustosas vaidades, e que sabedoria demonstram os que sabem desprender-se delas!... Não há maior alegria que a de poder exclamar:

"Uns confiam em seus carros,
outros em cavalos;
nós, porém, no nome do Senhor nosso Deus"
(Sl 19,8).

Um filho dos príncipes de Lorena dizia que por um só instante de consolo espiritual dos muitos que o Senhor lhe havia feito gozar na vida religiosa, dava por bem pagas as renúncias daquela escolha. E contam que, estando só em sua casa, punha-se a dançar de contentamento.

Que enorme alegria, depois de haver abandonado tudo pelo Reino de Deus, poder dizer-lhe com São Francisco: "Meu Deus e meu tudo", e ver-se libertado assim de tantos laços que nos aprisionam, experimentando a máxima liberdade de que se pode gozar...

Se escolhes a ele, começarás a experimentar aquela paz que, segundo São Paulo, "excede toda experiência" (Fl 4,7).

Haverá maior prazer que saber agradar a Deus?

*Bem sei, Deus meu,
que só tu satisfazes
as ânsias de meu coração,
por isso meu desejo é agradar-te.
Meu afã e minha alegria estão
em conformar minha vontade
com a tua.*

*Que maior dignidade posso ansiar
que identificar-me inteiramente
com o que te agrada?
Renuncio a tudo
contanto que me aceites
consagrado a teu amor.
Essa será minha paz e minha alegria.*

A vocação religiosa
Capítulo 3º. Consideração 6ª.

"A vocação religiosa"

Sob este título costumam apresentar os editores diversos escritos que o autor não publicou em um volume só nem na mesma época.

Neste conjunto, Santo Afonso oferece os melhores conselhos, advertências e incentivos que ele considerava adequados para os que se sentiam chamados à vida consagrada, com a intenção de que os candidatos rompessem resistências e respondessem com generosidade.

A obra se fez tão popular, que passou a ser clássica e indispensável em todos os noviciados e para todos os jovens que alguma vez sentiram o chamado.

José María Lorca

32. Saber padecer

É esta terra um lugar de desejos, e por esse motivo, de padecimentos. Não é lugar de descanso, e sim de caminhada. No pouco tempo que dura, vemo-nos perseguidos por fadigas.

Nossa pátria está onde o Senhor nos preparou alívio duradouro. Entretanto, justos e pecadores não têm mais escolha que arcar com sua parte de cruz.

Mas as mesmas aflições que a uns serenam e amadurecem, a outros desesperam e arruínam.

Por isso, uma das intenções que Jesus Cristo se propôs ao vir a este mundo, foi a de ensinar-nos a ciência da dor. Não é vã a proclamação de Isaías "varão de dores e o mais abatido de todos os mortais" (cf. Is 53,3), pois os dias de Cristo estiveram tecidos de muitos dissabores, os quais superou com o mesmo ânimo e com temperamento muito sereno.

Quem sofre o inevitável sem perder a calma nem o amor ganha em dobro. Era máxima de São Vicente de Paulo que não saber sofrer devia ser considerado como grande desgraça; e acrescenta que muito temia pelos membros de sua congregação não acostumados senão a ser aplaudidos.

E São Francisco de Assis, quando passava um dia sem alguma provação, suspeitava que Deus lhe houvesse abandonado, já que "o Senhor castiga a quem ama" (Hb 12,6).

Ninguém lhe agrada tanto como quem leva sua cruz com equilíbrio junto a Cristo, porque isso é fazer-se uma mesma coisa o amante com o amado.

Completa se veria tua felicidade se conseguisses padecer com a mesma inteireza que os mártires, de maneira que gozasses ao menos um breve instante das bem-aventuranças que eles obtiveram, pois a "tribulação momentânea e leve nos dá um peso eterno de glória incalculável" (2Cor 4,17).

Não há prêmio sem esforço, nem esforço sem exercício de paciência. E ao que mais pacientemente combater, lhe há de caber maior merecimento, pois disse o Apóstolo que "nenhum atleta será coroado se não tiver competido segundo as regras" (2Tm 2,5).

Aceitos da mão de Deus, tornam-se doces os trabalhos e são fonte de paz para o espírito. Porque o fato de sofrer não é o desejável, mas sim o sofrer por amor ao Crucificado.

Por isso, é preciso que o ajudes a levar a Cruz, não a força ou por despeito, mas com dignidade de amor e de paciência.

*Comparado com a tua, Senhor,
sinto que minha dor é nada.
E contudo me contristo e aflijo
mal me acomete uma infelicidade.
Por que esse absurdo padecer
sem amor e sem merecimento?*

*Dá-me, Senhor,
o aceitar com gozo
injúrias e desgostos.
Resoluto estou
a suportar tribulações
por este amor que te tenho
e que me tens.
Não deixes que as contrariedades
me separem de ti.
Eu te quero, Senhor,
igualmente na miséria
e na prosperidade.*

A prática do amor a Jesus Cristo
Capítulo 5

Espiritualidade "convencional"

A opção por uma espontaneidade e fluidez inteligíveis faz que a proposta espiritual de Afonso se afaste do perfeccionismo elitista. Não pretende encantar por sua novidade nem por seu conteúdo mais ou menos crítico.

A teologia que trabalha não é florida, e sim esquemática; não é novidade, e sim convencional; não é propensa a deslizamentos extremistas, e sim solidamente católica.

Tampouco traz uma técnica espiritual própria. Afonso serve-se do que já está ao alcance de todos: exercícios espirituais, meditação, devoções, jaculatórias etc.

Marciano Vidal

33. Despojar-se de tudo para sentir-se livre

Quem ama de verdade a Jesus Cristo desprende-se de todo sentimento de poder, e de toda ambição que nasce do amor próprio.

O engano de muitos está em desejar sentir a Deus, mas sem renunciar a nada. Dizem amá-lo, mas não se desapegam da riqueza, ou do prazer de ser tratados com mais consideração que os outros.

Quem amarra seu coração a paixões e negócios precisa entender que o amor de Deus é ciumento. Como escreve São Tiago, quem deseja ser amigo de tudo o que o mundo oferece, facilmente entra em conflito com a exigência do amor de Deus (4,4).

Aspirava o salmista a ter asas livres como as da pomba para poder voar e descansar (Sl 54,7). A muitos lhes ocorre o mesmo. Gostariam de libertar-se de tantas dependências a que estão sujeitos, mas conservam no coração afeições incompatíveis com a entrega ao Senhor. E vivem eternamente insatisfeitos, pois querem elevar-se da terra sem jamais conseguir levantar um palmo sequer.

Que diferença faz que o pássaro esteja amarrado por um fio imperceptível ou por uma corda? Por mais frágil que seja seu laço, igualmente cativo ele estará, enquanto não se decida rompê-lo.

Por isso seria uma lástima que entesourasses boas

obras, bons propósitos e esplêndidos dons de Deus, mas estivesses sem ânimo para quebrar esse laço que te impede unir-te inteiramente a ele.

Se desejas de verdade habitar em seu amor, entrega-te sem nenhuma reserva, de modo que lhe possas dizer com a Esposa: "O meu amado é todo meu, e eu sou dele" (Ct 2,16).

Desventurado aquele que vive escravo de ambições sem medida e de apegos excessivos. Ambicionará ter coisas que jamais conseguirá, e sofrerá muito por isso. Procurará fugir de ocasiões que o afligem agora e, não podendo livrar-se delas, sofrerá novamente, e inclusive provocará a dor alheia.

Por isso escreve São Tiago: "Donde vêm as lutas e os conflitos entre vós?... Cobiçais e não tendes, matais e ardeis de inveja, sem conseguir obter" (Tg 4,1-2).

Portanto, se amas verdadeiramente Jesus Cristo, organiza teus sentimentos e despoja-te de toda ambição que não seja a de agradá-lo, nem te entregues com maior ardor a outra tarefa que a de construir seu Reino.

Assim o fez ele mesmo, sobrepondo o zelo de Deus a sua própria família: "Não sabíeis que eu devia estar na casa de meu Pai?" (Lc 2,49).

*Tu és, Jesus Cristo,
todo o bem que há em mim,
minha única herança
e toda a minha riqueza.
Para que quero mais?
De tal modo és minha ambição,
que não quero viver para mim mesmo.
Diz-me se há algo no entanto
que devo sacrificar para agradar-te,
e concede-me força para fazê-lo.*

*Toma posse
de quanto sou e tenho.
Entrego-te meus sentimentos,
dou-te minhas afeições,
a toda recompensa renuncio,
e deixo toda procura
que não sejas tu.
Possuir-te a ti
me basta.*

A prática do amor a Jesus Cristo
Capítulo 11

Dez máximas de vida

1. *O que só a Deus procura sente-se abastecido, e em tudo o que acontece acha alegria.*
2. *Em amar a Deus consiste todo o bem, e amar a Deus está em cumprir sua vontade.*
3. *Confiar presunçosamente em si é perder-se. O que confia em Deus nunca se decepciona.*
4. *Deus está pronto para dar-se todo a quem tudo deixa por seu amor.*
5. *Que não passe um dia sem leitura espiritual. Dia sem meditar e orar é dia perdido.*
6. *A melhor oração é a que se faz aceitando para si o projeto de Deus.*
7. *Tudo encara com serenidade aquele que tem os olhos postos no Crucificado.*
8. *Não há inquietação ou assunto que roube a paz, por melhor que pareça, que proceda de Deus.*
9. *A maior caridade consiste em ganhar para si, pelo bem, aquilo que nos causa o mal.*
10. *Todo bom desejo tem em si mesmo o prêmio. Caminhai sempre, e vos asseguro que chegareis.*

A verdadeira esposa de Jesus Cristo

34. Ó feliz pobreza

No sofrimento que a pobreza pode supor, também é necessário conservar a dignidade, ainda que na verdade isso seja difícil.

Sendo assim, se alguém escolhe a pobreza e a suporta por amor a Cristo, considera-se o mais afortunado, pois pode dizer que a pobreza é para ele fonte de riqueza, e que "tendo a Deus, tudo possui" (cf. 2Cor 6,10).

E nesse caso mudam-se os termos: assim como é rico aquele que nada ambiciona, e em sua pobreza vive feliz, pobre é aquele que deseja os bens que não tem.

Se te falta a vocação para despojar-te de tudo pelo Reino dos Céus, como fizeram alguns seguidores de Cristo, ao menos não ambiciones riquezas ao ponto de perder a paz, e dirige tua súplica para adquirir os bens eternos do espírito, mais que para amontoar tesouros.

Aos pobres de espírito Jesus promete a bem-aventurança antecipada nesta vida. Diz que são felizes já, desde o momento em que suprimiram essa causa de dor que são as ambições insatisfeitas. Pois por "pobres de espírito" entendem-se aqueles que se livraram da paixão pelos bens, estando alegres quando têm o necessário para viver modestamente. Como diz o Apóstolo, "tendo alimento e vestuário, fiquemos satisfeitos" (1Tm 6,8).

Ó ditosa pobreza que nada teme perder porque nada possui, sempre na liberdade e na alegria!

O avaro anda faminto porque nunca o satisfaz aquilo que deseja, consegue e acumula. O pobre, contudo, mostra-se como senhor de tudo, pois, em troca de nada desejar, pode dizer na verdade: "Tu és, Senhor, porção de minha herança" (Sl 15,5).

Esse despojar-se de tudo hão de tê-lo em consideração, especialmente as pessoas que fizeram voto de pobreza. Porque há religiosos que se gloriam do nome de pobres, contanto que não lhes falte nada. Desejam para si a honra da pobreza, mas não os incômodos que ela comporta.

Motivo de zombaria e desprezo para a pobreza religiosa é quem quer passar por pobre, e logo se lamenta quando lhe falta alguma coisa.

Olha para Francisco de Assis, descalço, vestido toscamente, carente de tudo, que ao dizer "Deus meu e meu tudo" sente-se enormemente afortunado.

E olha para Jesus Cristo. Se a pobreza não fosse um grande bem, não a teria eleito para si, nem a deixado em herança para seus escolhidos.

Jesus Cristo,
amaste-me sem reservas
e a esse amor quero corresponder
com o meu.
Tudo deixo, renuncio a tudo,
para entregar-me inteiramente a ti.
Não abrigarei no coração
outro desejo que tu.

Priva-me de tudo, Jesus Cristo,
mas não me prives de ti.
És meu único bem.
Dá-me a entender
o que queres de mim,
e faz que não pense
mais senão em agradar-te.

A prática do amor a Jesus Cristo
Capítulo 14

É atual a espiritualidade alfonsiana?

A espiritualidade de Afonso de Ligório não é para burgueses. Aí está seu caráter profético para hoje. O "aggiornamento" da vida cristã precisa ser revisto. Não se trata de restauração, e sim de superar contradições da modernidade burguesa.

Nunca terá ligação com Afonso uma vida de fé na qual não se valorize o viver na presença de Deus, a leitura espiritual, a devoção, o afeto, a prática do amor.

Mas se verá nele um inspirador da vida religiosa próxima ao povo humilde, não elitista e mais desejosa de profundidade que de novidades burguesas.

Afonso assumiu a língua, a dialética, a miséria, a cultura, os sentimentos, o modo de rezar do povo. Por isso o povo o entendeu tão bem que o converteu em seu grande diretor espiritual.

José Cristo Rey García Paredes

35. Mansidão com os outros

Nosso Redentor foi chamado Cordeiro, para dar-nos a entender o muito que estima a mansidão. Por isso ensinou a seus discípulos: "Aprendei de mim, que sou manso e humilde de coração" (Mt 11,29).

Se vivêssemos isolados, não precisaríamos tanto desse dom, mas, vivendo em comunidade, é impossível livrar-se de incômodos e repressões. Por isso poderá acontecer que, se não estás disposto a encarar os reveses com atitude paciente, levarás uma vida muito inquieta e perturbada.

Dizia São Francisco que muitos põem o centro da perfeição pessoal em mortificações externas, mas em seguida não conseguem suportar uma injúria, como se não fosse de maior proveito uma pequena humilhação bem suportada que mil jejuns e penitências.

Também há pessoas que são pura amabilidade enquanto não se toca seu amor próprio, mas apenas são contrariadas dão mostra de ter pouquíssima reserva de paciência.

É preciso mostrar-se doce e muito compreensivo tanto com os estranhos como com os conhecidos. E esteja atento quem desempenha alguma autoridade, que mais resultado terá de uma advertência feita com palavras suaves, que de mil amargadas com o veneno da severidade.

Segundo São João Crisóstomo, conservar uma igualdade de ânimo, tanto nas contrariedades como no êxito, é claro sinal de virtude e de equilíbrio humano.

Por isso, é bom que te lembres desses momentos críticos em que perdes a compostura facilmente, para que te encontres prevenido. E quando pressentires essa ocasião ou tiveres o ânimo alterado, procura guardar silêncio até conseguir acalmar-se.

A despeito desse primeiro desejo de vingança, alegra-te por dentro para seres capaz de responder à violência com amabilidade, assemelhando-te nisso com Jesus Cristo, que por nosso amor suportou opróbrios e injúrias.

Quando Frei Junípero, discípulo de São Francisco, recebia na rua alguma injúria, estendia sua túnica com um gesto de recolher as pérolas que caíam do céu.

E isso porque os santos entenderam que a humildade que não nasce da humilhação é fingida. Como entenderam, também, que "Deus resiste aos soberbos, mas derrama seus dons sobre os humildes".

*Jesus Cristo,
pelo amor que me tens
te humilhaste
e fizeste obediente
até a morte na cruz.
Como posso
chamar-me teu discípulo
se me falta
a força necessária
para encarar dignamente
uma ofensa?*

*Ao contrário, tu,
Redentor meu,
tornaste grandiosos
os desprezos.
Por isso somente te direi
com o Apóstolo:
Livra-me de gloriar-me
em outra coisa
que em tua cruz.*

A vocação religiosa
Capítulo 3. Consideração 14ª.

Desejo de santidade

Assim como as aves precisam de asas para voar, precisamos de desejos de santidade para chegar a ela.

Quem deseja chegar ao cume de uma montanha, não o conseguirá se lhe falta o afã de consegui-lo. Este seu grande desejo o alentará e lhe fornecerá as forças necessárias para vencer as fadigas do empreendimento; de outro modo, entregue e desanimado, ficará nos pés do monte.

São Bernardo assegura que a alma alcança o grau de perfeição proporcional aos desejos que alimenta, e Santa Teresa acrescenta que Deus é amigo de almas entusiasmadas que têm grandes desejos.

A vocação religiosa

36. A caridade é benigna

A mansidão é um sentimento divino. Por isso, quem ama Jesus Cristo intensamente busca o modo de ajudar, de consolar e de agradar o próximo. Com amável vontade e conforme suas forças entrega-se aos outros, em especial aos que, por serem mais pobres ou por estarem enfermos, estão maltratados ou desassistidos.

Com o espírito de paz ele atinge, inclusive, o inimigo: "Não te deixes vencer pelo mal mas triunfa com o bem" (Rm 12,21). Porque só com o amor poderás fazer frente ao ódio.

Se te vês obrigado a responder ao que por palavras te maltrata, vigia para fazê-lo sempre com doçura. Porque basta uma resposta cheia de paz para apagar um incêndio de ira. Mas se estás perturbado, é melhor que te cales, para não teres de arrepender-te mais tarde.

"Não há nada — dizia São Francisco de Sales — que mais impressione e ajude os outros que um tratamento afável." E por isso, tinha sempre o sorriso nos lábios e todo o seu ser respirava benignidade, de maneira que, somente em olhá-lo via-se nele uma transparência da bondade de Cristo.

Merecedora de elogio é a benignidade, sobretudo a benignidade de quem sabe mandar de tal maneira que suas ordens mais parecem pedidos.

Mesmo no corrigir defeitos há de resplandecer sempre o trato delicado. E se em caso de reincidência te vês obrigado a chamar a atenção com maior energia, jamais mostres repulsa e impaciência, para não causar mais dano que proveito.

Impõe-te o dever de curar as feridas, a exemplo do Bom Samaritano, com a suavidade do azeite e do vinho.

E se aquele que merece ser repreendido se encontra de muito mau humor, melhor é adiares essa repreensão até que ele tenha recuperado a tranquilidade. Quando arde a casa, é grande imprudência lançar lenha ao fogo.

Com que doçura tratou Jesus a mulher adúltera... Contentou-se em admoestá-la para que não pecasse, e despediu-a em paz.

E como corrigiu a seus discípulos Tiago e João, quando eles ordenavam castigos sobre as cidades incrédulas dos samaritanos. Disse-lhes que o espírito de vingança que estavam refletindo não era próprio de seu espírito de amor, já que "o Filho do Homem não veio para condenar, e sim para salvar" (Jo 3,17).

E como Jesus agiu na traição de Pedro? Sem lançar-lhe na cara a infidelidade, olhou-o com tal expressão de ternura, que provocou sua conversão e suas lágrimas (Lc 22,61).

Ó ditosa cadeia de amor
que a ti me ata...
Aperta-a tanto, meu Redentor,
que eu já não possa jamais separar-me.
Tu o benigno,
o manso e humilde,
conduz-me contigo pelas ruas
de Jerusalém,
até o Monte Calvário.
E faz-me entender ali
que muito mais se consegue
com a mansidão
que com o rigor.

Dá-me, Senhor,
palavras de doçura
e sentimentos de benignidade.
Tu que lavas os pés
e olhas com amor
aos que atraiçoam.

A prática do amor a Jesus Cristo
Capítulo 6

O amor acima da lei

A "A prática do amor a Jesus Cristo", talvez o livro mais belo que o santo escreveu, ilumina toda a vida moral do cristão com a glorificação do amor. Para Afonso, toda a vida moral consiste em amar a Jesus Cristo e ao próximo.

Este impulso do amor estava ameaçado, pois os fracos submetiam-se a excessivas exigências e as leis entorpeciam as pessoas honradas. Afonso lutava para suavizar a interpretação literal da lei.

Muitos podem gloriar-se de ser hoje muito mais audazes nesta luta, mas não se esqueçam que ele sustentou, em um fronte perigoso, os primeiros combates em favor de uma nova orientação.

Bernhard Häring

37. Que agradável a união dos irmãos

Da mesma fonte nascem o amor a Deus e o amor aos irmãos. Assim se hão de entender as palavras de João: "Quem diz que ama a Deus e aborrece a seu irmão, é um mentiroso" (1Jo 4,20). Por outro lado, Jesus Cristo declarou que o bem que fazemos ao menor de seus irmãos, a ele mesmo o fazemos (Mt 25,40).

Que oásis de bem-estar é aquele grupo presidido pela caridade! Como é bom e como é agradável a união dos irmãos no amor! (Sl 132,1).

Deus se alegra em ver-nos conviver em uma mesma aspiração por servi-lo e ajudar-nos. Esta é a garantia que ofereceram aqueles primeiros cristãos que eram "um só coração e uma só alma" (At 4,32).

E esse é o fruto da oração de Cristo ao Pai: "Que todos sejam um como tu, Pai, estás em mim e eu em ti" (Jo 17,21).

Os seguidores de Jesus, ainda que procedam de pátria diferente, ainda que sejam de diferente índole e condição, hão de viver em paz, buscando cada um harmonizar-se com o gosto e com o gênio do outro. Que significa comunidade, senão uma comum-unidade de vontades?

A caridade unifica os ânimos e acomoda os gostos quando surgem as inevitáveis diferenças.

Que edificante é ver como um desculpa o outro,

este ajuda aquele, e todos se querem como irmãos! Uma comunidade assim é como um edifício bem construído, sem ameaças de desmoronar.

O grupo no qual reina a união na caridade é morada de salvação para as pessoas, como o é de ruína aquele em que entra o vício da murmuração, da suspeita, do rancor e do afã de dominar os outros.

Por isso, se queres viver na caridade com todos os teus irmãos:

1 — Reveste-te de desejos de misericórdia, isto é, trata os outros sem frieza, com ternura de afeto, tomando como tuas suas alegrias e contristando-te com seus males como se fossem teus.

2 — Rejeita os juízos severos ou infundados. "A caridade não pensa mal" (1Cor 13,4). Melhor é enganar-se por haver pensado bem, que condenar sem motivo.

3 — Nunca te alegres com a desgraça alheia, nem sequer quando de tal pessoa tiveres recebido algum insulto. Ao contrário, afasta todo rancor, até o ponto de amar o inimigo.

4 — E perdoa sempre ao que te faz algum mal, se queres ter a segurança de também ser perdoado.

*Que diferente sou de ti,
amado Redentor!
Tu esbanjas caridade
com teus perseguidores,
e eu me encho de rancor
contra meus semelhantes.
Tu perdoas e rogas
pelos que te torturam,
e eu quero vingar-me
dos que contrariam
meu amor próprio.*

*Dá-me o dom de fazer o bem
a amigos e inimigos.
Livra-me de todo sentimento
de rancor e de inveja.
Reveste-me de desejos
de misericórdia,
e faz que nunca condene,
maltrate ou desmoralize
meus irmãos.*

A Esposa de Jesus Cristo
Capítulo 12

"A Esposa de Jesus Cristo"

"A verdadeira Esposa de Jesus Cristo", também denominada como "A monja santa", é a única obra alfonsiana de espiritualidade completa e sistemática. Cheia de força e de unção, apareceu em plena maturidade de Afonso.

Um tradutor francês referia-se a ela, em carta a Santo Afonso, como "o livro de ouro no qual se trata admiravelmente da prática das virtudes".

É a obra em que o autor compendia o melhor e mais prático que se escreveu sobre a vida religiosa. Em nenhuma outra como nesta pode-se encontrar o pensamento do santo sobre qualquer ponto necessário para o combate espiritual.

Dionísio de Felipe

38. Falar bem de todos e com todos

Muito querem, Deus e os homens, à pessoa que sabe ver e apreciar a bondade dos outros. Portanto, fala do próximo como quiseres que falem de ti, e se aquele a que te referes está ausente, não digas dele o que calarias em sua presença.

Se alguém te vem murmurando sobre um terceiro, não mostres prazer em escutá-lo, porque te tornarias responsável por sua maldade. "Põe em teus ouvidos uma cerca de espinhos e ignora a língua perversa" (cf. Ecl 28,24ss.). Dá-lhe a entender do melhor modo que a conversa não te agrada.

Que todos saibam que diante de ti não se destrói o bom nome de ninguém. Sê como aquele monge a quem chamavam "o manto de seus irmãos" porque, quando ouvia difamar alguém, sempre encontrava um modo de cobri-lo com sua defesa.

Ou como Santa Teresa que diz em sua autobiografia: "Passaram a entender que onde eu estivesse tinham as costas seguras".

Se o Senhor não suporta aquele "que semeia discórdias entre irmãos" (Pr 6,19) como não o desagradará o que vive semeando intrigas e perturbando a paz?

Por isso, se ouves uma palavra contra algum companheiro, segue o conselho do Espírito Santo: "Ouviste difamar o próximo? Pois que a difamação morra em ti mesmo" (cf. Eclo 19,10).

A caridade também te pede que não firas ninguém com gracejos ofensivos ou inoportunas brincadeiras, nem expondo ao ridículo um irmão diante dos outros.

Foge também das discussões causadas por essas disputas inúteis que tantas vezes destroem o espírito de concórdia. Nessas disputas, o único vencedor é aquele que cede.

Aumenta tua amabilidade, principalmente com quem não combinas por causa do caráter, ou porque pensa diferente, ou porque se comportou mal contigo. Neste mundo não há pessoa completamente livre de defeitos, e os outros também relevam tuas imperfeições. "A caridade é paciente" (1Cor 13,4).

Quanta compaixão não demonstra o Senhor no trato com aquele grupo de discípulos grosseiros? Ele não aceita a ti com todas as tuas imperfeições?

Foge desses modos grosseiros que às vezes ferem tanto como as injúrias. Mas não sejas de uma sensibilidade tão aguda que interpretes como ofensa pessoal qualquer gesto ou comentário. A virtude não amadurece até submeter-se aos atritos e à provação. Além disso, aquele que se irrita com ou sem motivo não faz senão castigar-se a si mesmo, como diz Santo Agostinho.

Em suma, o que queres que façam contigo, faze tu com os outros.

Ó Senhor,
mais exijo caridade que ciência,
mais quero servir aos outros
que estar em alta contemplação,
pois quando estou orando
tu me ajudas,
mas se sirvo aos outros
sou eu quem te ajuda a ti.

Não desejo, Senhor, amar-te só,
mas em companhia
de todos os meus irmãos.

Dá-me um coração aberto
à necessidade do próximo.
Dá-me paciência para encarar
suas possíveis ofensas,
doçura e respeito quando devo
corrigir suas faltas,
e espírito de reconciliação
sempre que dele me distanciar.

A Esposa de Jesus Cristo
Capítulo 12

Examinar-se continuamente

Santo Agostinho dizia:

"Examinai-vos sem reservas e implacavelmente; estai sempre descontentes daquilo que sois, se quereis ser o que não sois... Sabei que estacionais no momento em que chegais a agradar-vos em vós mesmos".

*A complacência própria torna conformismo e mata o desejo de avançar. No momento em que se diz **basta** se perece. Deter-se no caminho de Deus é o mesmo que retroceder.*
O atleta que corre não olha o caminho percorrido, e sim o que lhe resta a percorrer. E as almas fervorosas tanto mais crescem no fervor quanto mais se aproximam do final da vida.

39. Dirigir-se à fonte do perdão

Deus é como uma fonte de perdão. Tu lhe darás provas de plena confiança se, depois de errar em alguma coisa, corres para nela beber. Lembra-te então que o Senhor está por natureza mais inclinado a perdoar que a ver afastarem-se os filhos que ama.

Por isso, com voz amorosa chama-os pela boca do profeta. "Por que hás de morrer?... Volta-te a mim e viverás de novo."

Oxalá entendêssemos essa paciência na espera que caracteriza o Senhor. "O Senhor — diz Isaías — espera o momento de vos mostrar sua graça, ele se levanta para manifestar-vos a sua misericórdia" (Is 30,18). E promete acolher ao que o abandonou, quando este se decide a voltar para seus braços.

Aprende a confiar mais na divina misericórdia que a temer a justiça divina. Porque Deus se inclina a compreender e perdoar, mais que a castigar. Já o disse São Tiago: "A misericórdia triunfa sobre o juízo" (Tg 2,13).

Portanto, quando cais e te sentes culpado, levanta a Deus os olhos em um ato de amor, confessa humildemente teus erros, e espera com total segurança o perdão e a misericórdia.

Para não desanimares nem mergulhares na desconfiança, dirige um olhar para o Crucificado, posto que este para conseguir-te a reconciliação morreu na cruz. Diz ao Senhor então: "Contempla a face de teu Ungido" (Sl 83,10) para que vendo-o sacrificado por teu amor, consigas prontamente esse perdão que Cristo ganhou para ti.

Ainda que traias cem vezes ao dia, recorre a Deus depois de cada falta. Assim recobrarás a paz, e não serás presa do desalento nem da perturbação. Do contrário, tua relação com Deus se esfriará, esquecerás o trato familiar, e até poderás perder a força para aproximar-te dele.

Mas se recorres imediatamente à fonte da misericórdia, e pedindo-lhe perdão lhe prometes emendar, tuas próprias quedas serão os degraus que te ajudarão a subir na escalada do amor.

Entre amigos que cordialmente se querem, com frequência sobrevêm mal-entendidos, desgostos e até ofensas. Mas se o ofensor vier a desculpar-se com o ofendido, longe de se romperem os laços de amizade, estes se estreitam ainda mais.

Assim deves portar-te com Deus, de modo que teus defeitos sirvam para robustecer o amor que te une a ele. Tem a segurança de que ele sempre te perdoará, e daí em diante ele te dará a força necessária para lhe seres cada vez mais fiel.

Este coração que tanto amas,
Senhor, encontra-se enfermo
e coberto de chagas.
E por isso te imploro:
"Cura minha alma,
pois pequei contra ti".
Não sais em busca
da ovelha perdida?
Pois aqui estou,
implorando teu perdão
e teu abraço.

Que devo fazer, Senhor?
Tu não queres
que se perca a esperança,
ou que se desconfie
de tua misericórdia.
E eu, que sou pecador
e te ofendi,
também suspiro
por voltar a ti.
Arrependo-me
dos desgostos que te dei
e estou resolvido
a não te ofender mais.

O trato familiar com Deus
Capítulo 3

A alma católica é alfonsiana

O sistema de Afonso envolve o cristão em uma rede de oração, meditação e participação sacramental, que faz de toda a vida uma consagração.

As práticas de devoção popular realizam-se numa perspectiva dirigida para Deus. Sem elas, resultaria uma fé estéril e que nada diz ao coração.

Afonso teve a intuição de que, para devolver à Igreja toda a sua força, não bastava defendê-la como instituição, mas era necessário alimentá-la a partir das verdadeiras fontes da vida, reconstruindo-a como corpo místico de Cristo, muito antes que se falasse disso aos fiéis.

Muito mais do que se reconhece em geral, a alma católica dos novos tempos leva o selo da espiritualidade alfonsiana.

Daniel Rops

40. Amor que todos esperam

Como corre rapidamente ao amor aquele que tem o coração dilatado pela confiança! Não só corre, mas voa, pois, tendo posto sua esperança no Senhor, se despojará de sua fraqueza e terá a força que Deus lhe comunica.

"Mas os que ficam à espera do Senhor" — diz o profeta — "retemperam as forças, criam penas como águias, correm sem se afadigar, caminham sem se cansar" (Is 40,31).

Aquele que mais ama a Deus mais espera de sua bondade, e desta expectativa brota o repouso que produz alegria e ventura. Por esta razão, a Esposa transbordava em delícias, porque não amando mais que a seu amado, só nele descansava (Ct 8,5).

Deus é o principal objetivo pessoal da esperança cristã. Como Santo Tomás o define, a esperança é uma expectativa certa da eterna bem-aventurança, que se apoia na promessa feita por Deus de dar vida eterna a seus servidores.

Quanto mais inflamada for tua caridade, mais firme e mais segura será tua esperança, a qual não pode ser contrária à pureza do amor, posto que o amor tende por sua natureza a unir-se ao objeto amado. E como quis que essa união não possa ser realizada a distância, aquele que ama suspira por estar sempre perto da pessoa amada.

Portanto, puro e perfeito amor de Deus é desejar encontrá-lo face a face, não tanto pela alegria que causa em nós amá-lo, quanto pelo contentamento que lhe damos amando-o.

O céu consiste em ver que a felicidade que Deus sente por estar conosco não termina. Entrar no convívio do Senhor é compartilhar esse conhecimento. Por isso, aqueles que estão já definitivamente com Deus preferirão perder o paraíso se porventura viesse a faltar a Deus ainda que uma pequena parte dessa felicidade.

Assim como o fogo penetra o ferro e torna-se com ele uma só coisa, assim Deus penetrará na alma ocupando-a completamente, de tal forma que ela fica como se já não existisse por si mesma, totalmente tomada pela plenitude de Deus.

Este é o fim último que o Senhor te concede. Mas, entretanto, não encontrarás na terra verdadeiro repouso. Pois embora seja verdade que os que amam a Cristo calculam sua paz aqui na terra em conformidade com ele, só encontrarão o perfeito descanso quando se encontrarem frente a frente com Deus para viverem consumidos em seu amor.

E até que não chegue esse dia, eu também vivo, suspiro e gemo: "Ai de mim!, que meu desterro se prolonga, e só ficarei plenamente saciado quando tua glória se me manifeste" (cf. Sl 119,5 e 16,15).

Deus meu,
embora viva em paz neste vale,
porque assim tu o queres,
sinto-me separado de ti,
sem encontrar todavia
meu suficiente repouso.

Quisera ver-me livre
deste corpo
para viver contigo
e gozar de teu gozo.
Feliz necessidade
com que me forças
a querer-te e a não desagradar-te.
Tanto é o bem que espero,
que todo sofrimento
se transforma para mim em doçura.
Quando verei sem sombras
tua beleza?
Quando me lançarás em ti?

A prática do amor a Jesus Cristo
Capítulo 16

ÍNDICE

Prólogo 5

COPIOSA REDENÇÃO

1. O dom de Deus é Jesus Cristo 11
2. Encarnação, obra de amor 15
3. Veio para servir-nos e curar-nos 19
4. O nascimento de um Deus ternura 23
5. O nome do Salvador 27
6. O Calvário, monte dos amantes 31
7. Pensa sempre na Paixão de Cristo 35
8. O sangue de Cristo grita misericórdia 39
9. A Graça foi maior que o pecado 43
10. A cruz como trono da Graça 47
11. Ele leva a cruz contigo 51
12. Espírito, fonte de água viva 55
13. Eucaristia, penhor de seu afeto 59
14. Comparo Maria com a oliveira 63
15. Quem temerá se a ela se confia? 67
16. Assim é a morte dos bons 71

... E AGRADAR A DEUS

17. Senhor, que queres que eu faça? 77
18. Aqui estou para fazer tua vontade 81
19. Como fazer bem o bem? 85
20. Da pureza de intenções 89
21. A oração de confiança 93
22. Deus está sempre a teu lado 97
23. Fala-lhe como a uma mãe 101
24. Nas dores e nas alegrias 105
25. Que saudável é a meditação 109
26. O deserto está no coração 113
27. A leitura espiritual 117
28. Sua marca está na criação 121
29. A criação, um caminho de amor 125
30. A visita a Cristo Eucaristia 129
31. A alegria de tê-lo escolhido 133
32. Saber padecer 137
33. Despojar-se de tudo para sentir-se livre 141
34. Ó feliz pobreza 145
35. Mansidão com os outros 149
36. A caridade é benigna 153
37. Que agradável a união dos irmãos 157
38. Falar bem de todos e com todos 161
39. Dirigir-se à fonte do perdão 165
40. Amor que todos esperam 169

A marca FSC® é a garantia de que a madeira utilizada na fabricação do papel deste livro provém de florestas que foram gerenciadas de maneira ambientalmente correta, socialmente justa e economicamente viável.

Este livro foi composto com as famílias tipográficas Times e Times New Roman e impresso em papel Offset 75g/m² pela **Gráfica Santuário.**